幼儿学习环境评量表

Early Childhood Environmental Rating Scale

修订版

-Revised Version
(ECERS-R)

作者：Thelma Harms

Richard M. Clifford

Debby Cryer

译者：赵振国 周晶 周欣

华东师范大学出版社
·上海·

PECERA
Hong Kong

图书在版编目(CIP)数据

幼儿学习环境评量表/(美)哈姆斯等著;赵振国,周晶,周欣译.—修订本.—上海:华东师范大学出版社,2014.12
ISBN 978 - 7 - 5675 - 2888 - 8

Ⅰ.①幼… Ⅱ.①哈…②赵…③周…④周…
Ⅲ.①幼儿园—教学环境—评定量表 Ⅳ.①G617

中国版本图书馆 CIP 数据核字(2014)第 307686 号

幼儿学习环境评量表(修订版)

作　　者	希尔玛·哈姆斯(Thelma Harms)
	理查德·M·克利福德(Richard M. Clifford)
	黛比·克莱尔(Debby Cryer)
译　　者	赵振国　周晶　周欣
项目编辑	彭呈军
审读编辑	周晴云
责任校对	邱红穗
装帧设计	崔楚

出版发行　华东师范大学出版社
社　　址　上海市中山北路 3663 号　邮编 200062
网　　址　www.ecnupress.com.cn
电　　话　021 - 60821666　行政传真 021 - 62572105
客服电话　021 - 62865537　门市(邮购)电话 021 - 62869887
地　　址　上海市中山北路 3663 号华东师范大学校内先锋路口
网　　店　http://hdsdcbs.tmall.com

印 刷 者　苏州市工业园区美柯乐制版印务有限责任公司
开　　本　787×1092　16 开
印　　张　8.5
字　　数　175 千字
版　　次　2015 年 10 月第 1 版
印　　次　2023 年 11 月第 11 次
书　　号　ISBN 978 - 7 - 5675 - 2888 - 8/G·7810
定　　价　25.00 元

出 版 人　王焰

(如发现本版图书有印订质量问题,请寄回本社客服中心调换或电话 021 - 62865537 联系)

目　录

前言（原修订版）

《幼儿学习环境评量表（修订版）》(ECERS－R) 的新版本并非旧版的重写，它保留了旧版的所有项目和指标，另外增加了两部分有用的内容：

- 已经放在我们的网站上并被大家广泛使用的附加说明
- 内容更充实的评分表，里面包括方便使用的工作纸

新版本的面世回应了量表的许多忠实使用者的要求。他们把附加说明剪贴到量表上，觉得有助于建立和保持量表使用的准确性。至今我们已在美国几个州的培训班使用过扩充后的评分表，证明它无论对经验丰富或刚入门的评分员来说都有用处。我们相信 ECERS－R 的添加内容会对使用者很有帮助。

我们衷心感谢凯茜·莱莉(Cathy Riley)在开发新版评分表中所做的工作。非常感谢伊丽莎·艾伦(Elisa Allen)，她非常干练地把增加的内容整合到量表的新版中。一如既往，我们专业评分员同事的回馈意见极为重要，她们是凯茜·莱莉(Cathy Riley)、丽莎·沃勒(Lisa Waller)、克丽丝·李(Kris Lee)和特蕾茜·林克(Tracy Link)。

有关《幼儿学习环境评量表（修订版）》的规则的详细说明，请参阅 *All About the ECERS－R, 2003* 一书(D. Cryer, T. Harms, C. Riley. Lewisville, NC: Pact House Publishing, ISBN 0－88076－610－7)。

序

自 20 世纪 70 年代以来,中国的经济成长,在全球创造了自英国工业革命以来的一个奇迹。展望未来百年,这个以中文为共通语的国家,将会是推动世界经济与社会发展的重要引擎。全球社会未来的素质,以至全球人与人、人与自然能否和谐共处,在相当大的程度上,将取决于这个拥有全球五分之一人口的中文国家的人文素质。而这个国家的人文素质,除了奠基于整体的人口教育外,亦要视乎其幼儿教育的品质水平。众所周知,幼儿期乃重要的学习和发展阶段,是奠定儿童日后学习基础的黄金时期,随着社会的进步,很多先进国家已日益重视幼儿教育的发展,并为此投放更多资源。

ECERS 系列评量表的面世,对促进幼儿教育的发展有莫大裨益。ECERS 系列评量表,能有效地将环境品质概念转化成具体可观察的评量架构,提供了一套统一标准,让教学及研究单位评定幼儿园的教学环境的品质,成功地打通了学者、辅导者与教师三方之间对幼教品质的沟通门径;也对关心幼儿成长的家长——幼儿成长的天然持份者,有一个权威的实质参考。

ECERS 系列评量表已被广泛应用了十多年,自发表以来,先后翻译成意大利文、德文、葡萄牙文、西班牙文及冰岛文等多种语言,在世界各国得到广泛应用;它亦是欧洲最大的纵贯性研究,透过追踪 3 000 名 3 岁至 16 岁儿童,以了解学前教育的成效,具有良好的信度和效度。

香港太平洋区幼儿教育研究学会成功取得 ECERS 系列评量表在全球的中文版(繁、简体字)翻译权及出版权,借以推动中文社会的幼儿教育环境品质评估达致国际标准,实在让人鼓舞。ECERS 系列评量表,亦是一套很有效的自我评价和自我发展的工具,其涵盖范围相当广泛,分项仔细,能让幼儿教育工作者根据相关标准,不断自我完善,促进幼儿教育的自我品质提高。

ECERS 系列评量表源自西方的先进国家,对东方社会来说,或许会出现一些文化与社会的差异,尤其中国人口众多,各地自然条件和社会经济等差异相当大,我们可依据社会环境的实际情况,对 ECERS 评量表作出微调及修订。期望在幼教学者、专家、教师、关心幼儿成长的家长及其他关心幼儿的人士的齐心协力下,华语社会的幼儿教育水平得以继续提高,为全人类素质的提升作出贡献。

陈保琼博士
太平洋区幼儿教育研究学会会长
太平洋区幼儿教育研究学会(香港)创会主席

序

在涉及学前教育的话题时，人们关注最甚的问题莫过于学前教育的品质，包括品质标准和品质监控等问题，换言之，人们最关注的是如何为社会、家庭和儿童提供优质的学前教育。

对学前教育品质的关注，必然涉及评价，评价的依据是有某些价值体系支撑下的品质标准，评价的过程需要工具和方法，评价的结果能被用于调整与改进教育。

早在 20 世纪 80 年代，我就在美国见到过许多幼儿教育机构将《幼儿学习环境评量表》(ECERS) 用作品质评价的工具；90 年代末，该量表经由修订，其影响力更大，应用范围更广。

在我国，对幼儿园教育品质评价的研究起步较晚，也不很成熟，幼儿园品质评价尚缺乏效度和信度，这样的状况不利于幼儿园教育品质的改进和提升。数年前，太平洋区幼儿教育研究学会 (PECERA) 主席陈保琼博士与我谈及她愿意在中国内地和香港同时引进《幼儿学习环境评量表 (修订版)》(ECERS-R)、《幼儿学习环境评量表——课程增订本》(ECERS-E) 和《婴儿学习环境评量表 (修订版)》(ITERS-R)，并译成中文出版，我给予了积极的回应，并欣然答应协助联系在内地的出版事宜。在我看来，这三本在国际范围内具有影响力的书的出版是非常有价值的，它们能为中国的幼儿教育研究者、实践者和评估者提供可以参考和运用的品质评价工具。

ECERS-R、ECERS-E 和 ITERS-R 的制定和修订经由了一个漫长的过程，这是一个基于研究的过程，是一个经过实践检验的过程，具有很高的效度和信度。它们的操作性较强，容易使用，不仅可用于外部评价和研究，也可用于幼儿园园长和教师进行自我评价。一些跨文化的研究曾报告，这些量表并没有因为文化差异而影响其效度和信度。在中国内地和香港地区，有一些学者已经或者正在参照这些量表进行他们的研究。当然，在借鉴和运用这些评价量表时有可能会因为文化、地域、经济、条件等而产生一些新的问题，但是这并不影响它们所具有的价值。

如今，ECERS-R、ECERS-E 和 ITERS-R 的中文版将在中国内地和香港正式出版。我期望中国内地和香港的幼儿教育工作者都能从陈保琼博士的慧眼和工作中受到裨益，对于提升幼儿教育的品质作出贡献。

朱家雄
华东师范大学终身教授
PECERA 中国地区主席
中国教育学会学术委员、常务理事
2014 年 1 月

序

承蒙香港耀中教育机构校监、太平洋区幼儿教育研究学会(香港)主席陈保琼博士的信任,邀请我为《幼儿学习环境评量表》系列出版品的中译本作序。

当前,我国的幼儿教育得到了全社会和政府前所未有的高度重视和财政支持,幼儿园的建设与幼儿入园率快速增长,创下了历史最高数据。但是,人们对高质量幼儿教育的需求却处在"饥渴"状态。数以亿计的家庭、数以百万计的幼儿园都在追求高质量的幼儿教育,然而,对什么是"高质量"却产生了极为混乱的认识,并由此产生出种种错误的教育方法,甚至有些做法很令人担忧。

2001年《幼儿园教育指导纲要(试行)》的颁布引领了教育观念的更新和实践层面改革的探索。随着改革的深入,如何在教育过程中具体满足幼儿个性化发展需求,如何创设一个适宜的教育环境,如何与儿童有效地互动等深层次的专业挑战,使很多教师甚至理论工作者感到茫然。综观问题所在,我们发现,只有宏观层面正确的教育观念,没有微观层面具体的教育措施、评价指标、评价与改进的方法等,就不可能将正确的观念落实在具体的教育之中。因此,我们急需能在实践层面研究和指导改善教育质量的工具。

处在这样一个阶段,太平洋区幼儿教育研究学会与美国哥伦比亚大学师范学院出版社签约,取得了《幼儿学习环境评量表》系列在全球的中文版的翻译权及出版权,并将分别在中国内地及香港出版《幼儿学习环境评量表》,即ECERS(Early Childhood Environment Rating Scale)系列评量表的简体版及繁体版。ECERS系列评量表包括:ECERS－E幼儿学习环境评量表(课程增订本,2010);ECERS－R幼儿学习环境评量表(修订版,2005);ITERS－R婴儿学习环境评量表(修订版,2006)。

ECERS－R(幼儿学习环境评量表——修订版)是美国北卡罗来纳大学弗兰克·波特·格雷厄姆(Frank Porter Graham,简称FPG)儿童发展研究所的希尔玛·哈姆斯教授(Thelma Harms)等人研发的,1980年出版第一版,1998年出版修订版,即ECERS－R(Early Childhood Environment Rating Scale-Revised)。该量表的主要目的是评估幼儿学习环境的质量。ECERS－R由7个子量表共470个评价指标组成。7个子量表分别是空间和设施(Space and Furnishings)、个人生活常规(Personal Care Routines)、语言—推理(Language-Reasoning)、活动(Activities)、互动(Interactions)、机构活动的结构(Program Structure)、家长和教师(Parents and Staff)。已有研究表明,ECERS－R具有良好的信度和效度,而且它的信度和效度没有因为文化差异而受到影响。美国几乎所有全国规模的幼儿研究课题都采用ECERS－R作为研究工具。在良好的信度和效度的保障下,《幼儿学习环境评量表》自发表以来，先后被翻译成意大利、德国、葡萄牙、西班牙等国文字，在世界各国得到广泛应用。中文版的 ECERS－R 也于 2006 年在中国台湾地区出版。

ECERS－E，即《幼儿学习环境评量表（课程增订本）》，是由牛津大学的 Kathy Sylva 教授、伦敦大学教育研究所的 Iram Siraj-Blatchford 教授及伦敦大学 教育研究所的 Brenda Taggart 教授于 2003 年出版的质量评估工具。ECERS－E 最初是为了在英国进行的国家级研究项目"提供有效学前教育"而设计出来的。该项目是欧洲的最大纵贯性研究，通过追踪 3 000 名 3 岁至 16 岁的儿童以了解学前教育的成效。同时，ECERS－E 也旨在补充著名的《幼儿学习环境评量表（修订版）》(ECERS－R)。ECERS－E 特别着重于"读写能力"、"数学"和"科学与环境"及幼儿教室布置的"多样性"等的核心课程领域。因此，该工具可用作评估课程内容的质素，包括教学法及旨在促进幼儿认知发展的领域。英国进行的国家级研究项目——"提供有效学前教育"(EPPE)发现，ECERS－E 的评分可以预测儿童在学术上取得的进展（例如：语言和读写能力、算术能力、非语言的推理能力）。目前英国很多政府部门利用 ECERS－E 来改善托儿所和幼儿学校的水平。

ITERS－R(婴儿学习环境评量表)是根据 ECERS－R 修订的，保留了原有的 7 个子量表，包括空间和设施、活动、互动、机构活动的结构等方面，作为评估婴幼儿从出生至 30 个月(2.5 岁)的评量表。

各套量表指标的背后是大量的研究和海量文献的支持，对指标和计分的注释，以及质量的评级都是针对教学法、教学资源、课程和环境而设置的，深度涉及幼儿园课程、教学、评价的诸方面，它不仅提出指标，更提供了方法；不仅是教育测量的工具，更是研究和指导改善教育质量的工具。我相信，这本书在中国内地的出版必将对当前幼儿教育的改革，特别是如何获得高质量的幼儿教育，发挥专业引领的积极作用，必将成为广大幼教工作者的良师益友。

最后，我想应衷心感谢太平洋区幼儿教育研究学会和陈保琼博士，她为本书在大陆和香港的出版做出了极大的努力，不仅成功地争取到翻译权和出版权，还组织了出色的翻译工作，使本书以极高的专业水准、流畅而准确的文字、通俗而亲切的文风面世。衷心感谢华东师范大学出版社积极地承接，并高质量地完成了本书的编辑和出版工作。

朱慕菊
国家基础教育课程教材专家工作委员会秘书长
2013 年 7 月

鸣谢(原修订版)

许多同仁用过《幼儿学习环境评量表》(ECERS)后,慷慨地与我们分享了见识和资讯,无可比拟地充实了我们的工作。在使用 ECERS 的这些年间,不少人曾给我们提供意见,尽管不可能一一道谢,但我们仍想首先对那些正式和非正式地向我们作出回馈的人士致意。他们包括美国、加拿大、欧洲和亚洲的同仁,他们用《幼儿学习环境评量表》所做的研究和改善课程的工夫极大地丰富了我们对品质的理解。尤其感谢《幼儿学习环境评量表(修订版)》问卷的众多回复者。

我们要特别感谢:

- 教堂山分校焦点小组的成员。融合教育的焦点小组成员包括派特·卫斯理(Pat Wesley)、金妮·金尼(Ginny Kinney)、凯西·克莱顿(Kathy Clayton)、莎伦·帕尔莎(Sharon Palsha)、狄安娜·谢泼德-伍迪(Deanna Shepherd-Woody)、卡拉·凡森(Carla Fenson)、桑迪·斯蒂尔(Sandy Steele)和布兰达·邓尼斯(Brenda Dennis)。多元性的焦点小组成员包括穆里尔·伦德格林(Muriel Lundgren)、萨尔玛·海德马萨(Salma Haidermotha)、瓦莱丽·贾维斯(Valerie Jarvis)、丽奈特·达克斯(Lynette Darkes)、派特丽夏·罗德里格斯(Patricia Rodriguez)和杰娜·弗莱明(Jana Fleming)。

- 安妮·米切尔(Anne Mitchell)、萝拉·酒井(Laura Sakai)和爱丽丝·伯顿(Alice Burton)。她们是加利福尼亚州三藩市示范中心行动计划(the Model Centers Initiative)的评价小组成员。她们就多元性这题目跟一些幼教机构主任和教师进行了一次焦点小组活动,并在多个各类幼教机构实地测试了 ECERS-R 的使用。

- "全美儿童护理人员配置研究"(the National Child Care Staffing Study)和"成本、品质与结果研究"的研究小组成员。他们与我们分享了他们的 ECERS-R 资料。

- 唐娜·布莱恩特(Donna Bryant)、凯利·麦克斯韦(Kelly Maxwell)和艾伦·佩斯纳-费恩伯格(Ellen Peisner-Feinberg)。她们是北卡罗来纳大学(UNC)教堂山分校弗兰克·波特·格雷厄姆儿童发展中心(The Frank Porter Graham Child Development Center)的同事。我们得以分享她们的研究资料及宝贵的量表经验。

- 阿黛尔·理查森·雷(Adele Richardson Ray)为量表研究综述了大量的文献和做了内容分析。

- 伊娃·希金斯(Eva Higgins)主持了 ECERS-R 的实地测试。协助测试的人员有尼科尔·兰姆艾维斯(Nicole Lamb Ives)、坎比·罗宾逊(Canby Robinson)、玛丽安·莫特(Marianne Mount)、吉赛尔·克劳福德(Gisele Crawford)、特里·哈默斯利(Terry Hammersly)、艾米·罗杰斯(Amy Rogers)、凯茜·费斯塔(Cathy Festa)、埃莉诺·莱文森(Eleanor Levinson)、诺琳·雅泽建(Noreen Yazejian)和凯萨琳·波尔克(Katherine Polk)。

- 史蒂夫·马格斯(Steve Magers)和戴夫·加德纳(Dave Gardner)在佩格·伯齐纳尔(Peg Burchinal)的领导下分析了实地测试的资料。

- 凯茜·莱利(Cathy Riley)起草了量表的初稿,且仔细、耐心地跟进没完没了的修改。

- 特纳·麦卡伦姆(Turner McCollum)为修订本设计富有创意的封面。
- 哥伦比亚大学师范学院出版社的编辑苏珊·里迪克特(Susan Liddicoat)。感谢她的耐心和兴趣,以及要把本量表打造成最佳评价量表的决心。
- 来自35个不同幼教机构的45个班级的机构主任、教师和儿童,他们无私地让我们完成了ECERS－R的实地测试。

我们衷心感谢麦尔曼家庭基金会(A. L. Mailman Family Foundation)、史密斯·理查森基金会(Smith Richardson Foundation)和弗兰克·波特·格雷厄姆儿童发展中心小额资助计划为ECERS－R提供部分资助,尤其感谢他们信任我们及肯定我们工作的价值。

希尔玛·哈姆斯(Thelma Harms)
理查德·M·克利福德(Richard M. Clifford)
黛比·克莱尔(Debby Cryer)
弗兰克·波特·格雷厄姆儿童发展研究所
1997年12月

鸣谢（中文版）

《幼儿学习环境评量表》系列（*Early Childhood Environment Rating Scale*），简称 ECERS 系列，是一套具国际标准、拥有高效度和信度的幼儿教育水平量度工具。评量表自发表以来，已翻译成多国语言，在世界上 20 多个国家广为应用。

ECERS 系列量度的指标涵盖幼儿学习环境设施、教师素质、课程设计、学校行政以至家校合作等多个领域，内容广泛，分项细致，是幼儿教育工作者用以检核、力求自我完善，使幼教素质不断攀升的良好工具。太平洋区幼儿教育研究学会（香港）主席陈保琼博士有鉴于此，遂建议将之翻译成中文版本，广传给世界各地华人社会，供从事幼儿教育的人士及家长参考，借以获取滋养，并让华人社会的幼教环境素质持续完善，提升至国际水平。翻译工作在太平洋区幼儿教育研究学会（香港）取得 ECERS 系列评量表的全球中文版（繁、简字体）翻译权和出版权后随即展开。

《幼儿学习环境评量表》涵盖多个系列。翻译小组拣选了其中三个系列翻译成中文，包括：《幼儿学习环境评量表（课程增订本，2010）》，简称 ECERS－E;《幼儿学习环境评量表（修订版，2005）》，简称 ECERS－R;《婴儿学习环境评量表（修订版，2006）》，简称 ITERS－R。ECERS 系列评量表中文翻译版得以付梓，端赖下列团队与人士付出的努力，在此致以衷诚感谢：

感谢

太平洋区幼儿教育研究学会（香港）主席陈保琼博士，致力与ECERS 系列评量表的原作者、幼教界专家及出版社紧密联系，成功取得全球中文版的翻译权和出版权。

陈丽生博士，主持 ECERS 系列评量表培训研习课程，领导学员实地观察、访谈和讨论。让学员对优质教育和评分概念有更清晰的认识，并透过问卷获取意见，作为日后从事编译和研究工作的准备。

秘书李贝儿女士与太平洋区幼儿教育研究学会（香港）办事处的同事不厌繁琐，负责统筹、联系、协调和辅助一切文书工作，使整个编辑工作能顺利完成。

香港基督教服务处、香港圣公会福利协会、基督教香港信义会、东华三院、香港明爱、耀中教育机构等机构辖下幼儿教育单位同事全力支持，提供实地观察场地，参与研习，并回应问卷及给予建设性的意见。

感谢

张礼六女士将已选取的部分中文译本再反译成英文。许娜娜博士、陈颖怡女士、温玉婷女士、周朗羚女士、陈宛彤女士校阅中、英文译稿，以对应中文译本的准确度。

感谢林茵茵博士、张文智先生、袁淑萍女士和他们的团队为译本精心设计符合主题的精美封面。

深切感谢编辑组同事：总编辑梁后养先生，以简明通畅的文字翻译、修润和校对 ECERS 整套系列的文字。编辑小组成员，李丽云博士、黄佩丽女士、陈江小慧女士、陈刘燕琼女士、刘有莲女士、梁志坚女士在百忙中提供宝贵意见，积极参与义务翻译和校对工作。

期待华语社会的幼儿教育素质在 ECERS 系列的启迪下,在自我完
善的旅途中不断跃进。

朱邓丽娟

太平洋区幼儿教育研究学会(香港)
《幼儿学习环境评量表》系列编辑小组

《幼儿学习环境评量表(修订版)》(ECERS – R)简介

《幼儿学习环境评量表》(ECERS)的修订是一个漫长而艰难的过程。我们希望修订版在延续和创新之间取得平衡。一方面,我们要确保原量表中的一些有价值的特点得以保留。15年来正是这些特点让ECERS成为一种有助于研究和改善课程品质的工具。另一方面,我们也想对工具进行更新和扩充,使它不仅能更好地反映ECERS自1980年出版以来早期教育所发生的变化,同时也能反映我们自己在理解如何量度品质方面所取得的进步。在此期间,容纳残障儿童以及对多元文化的敏感度已经成为评价课程品质的重要问题。随着全美幼教协会资格鉴定计划(NAEYC, 1984)的开发和几种早期教育评价工具的出版,品质的测量本身受到了更多的关注。1997年,处于自我反省阶段的业界对全美幼教协会制订的《切合儿童发展的教育》(Bredekamp, 1986)中关于课程品质的定义作出了修订。新的定义更加强调了多元文化、家庭问题和儿童的个别需要(Bredekamp & Copple, 1997)。

随着另外三个量表的开发,我们对如何测量品质也有了进一步的理解。三个量表均采用了ECERS的格式,但各自作出改进和完善。它们是:《家庭日托评量表》(FDCRS; Harms & Clifford, 1989)、《婴儿学习环境评量表》(ITERS; Harms, Cryer & Clifford, 1990)及《学龄儿童照顾环境评量表》(SACERS; Harms, Jacobs, & White, 1996)。美国国内及国外许多研究项目在考察一般品质时都使用了ECERS,且发现它的评分与儿童的学业成绩、教师特征、教师行为以及报酬之间均存在显著相关的关系。同时,一些研究人员反映了在个别项目上所遇到的困难。他们的回馈成为修订版的一项宝贵资源。ECERS已被翻译为意大利语、瑞典语、德语、葡萄牙语、西班牙语和冰岛语等多种文字,并在一项国际性的研究中获得采用(Tietze, Cryer, Bairrão, Palacios, & Wetzel, 1996)。翻译本保留了基本的量表,但为了配合当地文化,少数指标仍需加以修改,特别是指标的举例。这些改动对我们的修订工作也大有裨益。

此外,作为一种改善课程品质的工具,ECERS曾以不同的方式为各种机构采用,包括服务多元群众及推行融合教育的单位。17年来,ECERS被广泛应用于研究和课程改善上面,虽然积累了大量关于其有效性和实用性的证据,但对量表进行一次彻底的修订显然很有必要。

修订过程

量表的修订主要参考了三个资料来源：(1)ECERS 与其他综合品质评价工具及检视幼教课程的文献之间关系的内容分析。(2)采用 ECERS 在各幼儿学校、儿童照顾机构及幼儿园进行研究所得的资料。(3)ECERS 使用者的回馈资讯。内容分析帮助我们找出需要考虑增删什么项目。使用 ECERS 的研究甚多，所得的资料让我们知道各项目的分数范围、相对难度以及效度。而远比这些更为重要的，是曾以不同形式使用 ECERS 的研究人员和教育实践者的回馈。他们的意见对修订工作至为珍贵。

为了收集 ECERS 使用者的资讯，我们举行了三次焦点小组活动：一个小组考察 ECERS 在融合教育机构中如何发挥功能，另外两个小组则考察它在多元文化机构中的使用情况。我们很幸运地获得了这两个领域的专家的支持。他们曾在美国各地广泛使用 ECERS，并且能够给我们提供具体的建议。我们又与用过 ECERS 进行研究的人员开回馈会。他们可以从研究需要这个角度就量表的内容和形式给我们提供建议。此外，我们更向众多曾广泛使用 ECERS 的个人、课程和计划发出问卷，并收到美国、加拿大和欧洲人士寄来的有用建议。

修订内容

《幼儿学习环境评量表(修订版)》确实是修订，不是一个全新的量表。原版的整体理据和基本理念仍见于修订本。修订版沿用原版对环境的广义解释，即包括直接影响幼儿机构内儿童和成人的空间、课程和人际互动特征。修订版包含七个子量表，分别是空间与设施、个人日常照料、语言—推理、活动、互动、课程结构，以及家长与教师。

修订版的子量表与原版的子量表不尽相同，但它们对环境的广义界定显然是一致的。修订版与原版保持相同的格式，各个项目仍采用 7 级评分的办法：1(不足)、3(最低标准)、5(良好)、7(优良)。修订版品质评估的理念框架也与原版一致。课程水准的评定，是以当前认为最好的教育法以及联系儿童教育法与成效的研究作为依据。重点在于儿童的需要，以及如何按我们目前的理解尽量满足这些需要。

修订版基本上与原版一脉相承，但也做了以下的改动：

1. 有关考察 0—3 岁儿童的替代性项目均已删去，请改用《婴儿学习环境评量表》(Infant / Toddler Environment Rating Scale)(Harms, Clifford, & Cryer, 1990)。

2. 水平 1、3、5 和 7 下面的描述改用了独立指标代替段落，格式与 FDCRS、ITERS、SACERS 等我们的其他量表相同。

3. 为了进一步解释指标的含义及提供更多的具体资讯，以便更准确地打分，注释的内容有所扩充。

4. 一些项目已经合并，避免重复(例如，原版"设施与安置"下的项目 6 和 7 合并成为修订版的项目 2)。

5. 为了深化内容，原有的一些项目被拆分(例如，原版项目 32 的"语调语气"现在拆分为修订版的项目 31"纪律"和项目 32"师幼互动")。

6. 原版未涉及的领域现在增加了项目，如：健康与安全措施；自然/科学活动；数学/数字活动；电视、录影及/或电脑的使用；互动项目(包括幼儿互动)和一些关注教师需要的项目。

7. 为了使项目更具融合教育的特点和文化敏感度,我们给许多项目增加了指标和举例。我们听从焦点小组有关融合教育和多元文化的建议,没有为这两个方面另设项目,而在整个量表中加插了指标和举例。

8. 本量表的评分系统与 FDCRS、ITERS 和 SACERS 的评分系统相同。此外,修订版中的每个指标都可独立以 Y(是)、N(否)评分。有些项目的指标更可以 NA(不适用)评分。这种改动有助于我们更清楚地识别项目品质打分的依据。

9. 为方便使用,注释说明均紧随项目之后。

10. 至于不易观察到的指标,我们在注释下面提供了问题的举例。

修订版旨在更新内容,并使它的格式和评分说明与我们的其他量表取得一致。再者通过增加指标的分数,使项目品质评分的决定有了更具体的理据。我们相信修订版已经达到了这些目标。

信度和效度

如前所述,《幼儿学习环境评量表》新版是知名而且备受推崇的原有版本的一个修订。它保留了原版的概念框架以及基本评分标准和使用方法。由于原版已经长期应用于各种研究,证明 ECERS 所测定的品质具有很好的预测效度(例如, Peisner-Feinberg & Burchinal, 1997; Whitebook, Howes, & Phillips, 1990),所以大家都期望修订版亦能保持那种有效性。这里需要回答的主要问题是:量表的修改会否影响评分员的可信程度。

在 1997 年的春季和夏季,我们采用修订版对 45 个班级进行了一系列广泛的实地测试。量表的作者们不满意当时得出的评分员信度,觉得有必要做进一步的修订。我们根据第一次研究的资料来决定量表需要改动什么才可成为一套完全可靠的工具。我们以指标层面的信度作为指南,大幅修订了第一次实地测试的量表初稿。修订完成后,我们选取首轮测试中的 21 个班级作为样本,重新测试。这个样本是由第一次测试中得到高、中、低分数的班级各选 7 个班组成。虽然第二轮测试比较谨慎,评分员于观察后互相讨论以建立可靠度的机会不大,但测试的结果却相当令人满意。

总的来说,修订版在指标、项目和总分的层面都很可靠。量表中 470 多个指标的评分一致性达到 86.1%,没有一个指标的一致性低于 70%。在项目层面上,48% 的项目评分完全一致,71% 的分数相差不出 1 分。

就整个量表来说,两个观察员之间评分的相关系数为:皮尔森 (Pearson) 积差相关系数 0.921、斯皮尔曼(Spearman)等级相关系数 0.865、组间相关(interclass correlation) 为 0.915。这些数字均在可接受的范围内,表示总体的一致程度很高。这些总体数字与原版 ECERS 的一致程度也很接近。

我们也在子量表和量表总分的层面考察了量表的内部一致性。子量表的内在一致性系数为 0.71 至 0.88,量表的总内在一致性达到 0.92。表 1 列出 7 个子量表的内在一致性系数。这些系数表明子量表和量表达到一个合理的内在一致性,证实它们是独立的思维产物。但有关信度和效度的很多问题还有待解答。例如仍需通过研究来回答的问题有:修订版在多大程度上保存了原版评分的力度? 两个版本对儿童发展的结果是否具有相似的预测性? 此外,还需要有样本更大的资料对量表的因素结构进行实证性检验。针对原版量表的研究通常指向两个因素,一个聚焦于环境中的教学方面,另一个则关注提供机会的方面(Rossbach, Clifford, & Harms, 1991; Whitebook, Howes, & Phillips, 1990)。修订版在多大程度上能揭示相同的方面,仍需作进一步的研究才能确定。

　　总之,实地测试显示在指标、项目和总体评分这三个层面上,评分员之间的一致性已经达到较高的可接受程度。此外,采用子量表的得分和总分来说明教育机构重要方面的品质这个做法也就获得了支持。

表 1　《幼儿学习环境评量表(修订版)》子量表的内在相关系数

量表	评分员内在一致性
空间与设施	0.76
个人日常照料	0.72
语言—推理	0.83
活动	0.88
互动	0.86
课程结构	0.77
家长与教师	0.71
总体	0.92

参考文献

- Bredekamp, S. (Ed.). (1987). *Developmentally appropriate practice in early childhood programs from birth through age 8*. Washington, DC: National Association for the Education of Young Children.

- Bredekamp, S., & Copple, C. (Eds.), (1977). *Developmentally appropriate practice in early childhood programs*. Washington, DC: National Association for the Education of Young Children.

- Cryer, D., Harms, T., & Riley, C. (2003). *All about the ECERS-R*. Lewisville, NC: Pact House Publishing.

- Harms, T., & Clifford, R. M. (1989). *Family Day Care Rating Scale*. New York: Teachers College Press.

- Harms, T., Cryer, D., & Clifford, R. (1990). *Infant/Toddler Environment Rating Scale*. New York: Teachers College Press.

- Harms, T., Jacobs, E., & White, D. (1996). *School-Age Care Environment Rating Scale*. New York: Teachers College Press.

- National Association for the Education of Young Children (1984). *Accreditation criteria and procedures of the national academy of early childhood programs*. Washington, DC: Peisner-Feinberg, E., & Burchinal, M. (1997). Relations between preschool children's child care experiences and concurrent development: The Cost, Quality and Outcomes Study. *Merrill-Palmer Quarterly*, *43*(3), 451-477.

- Rossbach, H. G., Clifford, R. M., & Harms, T. (1991, April). *Dimensions of learning environments: Cross-national validation of the Early Childhood Environment Rating Scale*. Paper presented at the annual meeting of the American Educational Research Association, Chicago.

- Tietze, W., Cryer, D., Bairrão, J., Palacios, J., & Wetzel, G. (1996). Comparisons of observed process quality in early child care and education in five countries. *Early Childhood Research Quarterly*, *11*(4), 447-475.

- Whitebook, M., Howes, C., & Phillips, D. (1990). *Who cares? Child care teachers and the quality of care in America*. Final report of the National Child Care Staffing Study. Oakland, CA: Child Care Employee Project.

《幼儿学习环境评量表(修订版)》使用说明

　　无论是在自己的班上使用量表进行自评,还是作为一个外来观察员从事监督、课程评价、课程改善的工作或研究,准确地使用《幼儿学习环境评量表(修订版)》都至关重要。哥伦比亚大学师范学院出版社提供了修订版的录影培训资料,可供自学或集体培训之用。在正式使用量表之前,最好能够参加由经验丰富的 ECERS－R 培训师主持的培训课程。对使用量表进行监督、评价或研究的观察员来说,培训课程应至少包含两次小组形式的课堂观察实习,随之进行评分员之间的信度比较。任何计划使用量表的人士在尝试评价一门课程之前应先仔细阅读下面的说明。

量表的实施

1. 量表为每次用于一个班或一个小组而设,对象为 2.5 岁到 5 岁的儿童。如果你是个外来观察员,即机构教师以外的人士(指课程主任、顾问、审批执照者和研究员),便应预留 3 小时的时间进行观察和评分。观察最好能持续进行 3 小时以上。

2. 在开始观察之前,尽可能先完成量表评分表第一页的机构资料。有些资料你可能需要询问老师。观察结束时要确定第一页上所要求的所有机构资料均已填妥。

3. 开始观察时,先花几分钟熟悉一下教室。

● 你可能想从"空间与设施"的项目 1—6 开始,因为这些项目较易观察。

● 有些项目需要观察一些在一天中特定时间才发生或进行的事情和活动(如"个人日常照料"中的项目 9—12,涉及大肌肉游戏的项目 7、8 及 29)。这些项目宜加注意,以保证它们进行时你能观察到和为之评分。

● 对于评价互动的项目,应经过充分的观察、认识了典型的状况后才加以评分(如"互动"的项目 30—33、"课程结构"的项目 34—37、"家长与教师"的项目 41)。

● "活动"的项目 19—28 既需要检查材料,也需要观察材料的使用

情况。

4. 注意观察时不要打断或干扰正在进行的活动。

● 保持愉快但平和的面部表情。

● 除非看到必须立即处理的危险,否则不要跟儿童进行互动。

● 不要跟教师谈话或干扰教师。

5. 安排时间询问教师有关你没有观察到的指标。教师回答时应当无需照料儿童。访谈时间约 20 分钟。为了尽量善用腾出来的提问时间,尽可能采用量表中提供的问题。

● 若要提出一些关于项目的问题而量表中没有举例,可事先把问题写在评分表或其他纸上。

● 只询问有助决定是否可打较高分数的问题。

● 每次只就一个项目提问,做好笔记或给分后再继续下一个项目。

6. 请注意,量表中的评分表(从 110 页开始)方便你记录指标、项目、子量表的评分和总分以及你的意见。后面的概览(第 131 页)则以图表形式显示这些资料。

● 每次观察需要一份新的评分表。用者只可复印评分表和概览,但不

能复印整个量表。

- 在离开机构之前或在离开之后立即把分数记在评分表上。不要在事后凭记忆评分。

- 填写最终评分表时笔迹色调要深,以便复印。

评分系统

1. 请仔细阅读整个量表,包括项目、注释和问题。为求准确,所有的评分都要尽量依照量表项目中提供的指标。

2. 为了确保评分准确,在整个观察过程中应可随时取用量表,并经常以之作为参考。

3. 与指标提供的例子不同但近似的例子,可以用作指标评分的依据。

4. 评分应根据当前观察所得或教师报告的情况,而不是未来的计划。当缺乏可观察的资讯时,可根据访谈期间教师提供的回答来评分。

5. 给每个项目评分时,应永远从水平 1(不足)开始,逐步向上,直至达到正确的品质水平。

6. 评级方式如下:

- 如果第 1 部分有任何指标评"是",那么应给 1 分。

- 如果第 1 部分所有指标都评"否",而第 3 部分至少一半指标评"是",那么应给 2 分。

- 如果第 1 部分所有指标都评"否",而第 3 部分所有指标都评"是",那么应给 3 分。

- 如果第 3 部分全部达标,而第 5 部分至少一半指标评"是",那么应给 4 分。

- 如果第 5 部分所有指标都评"是",那么应给 5 分。

- 如果第 5 部分全部达标,而第 7 部分至少一半指标评"是",那么应给 6 分。

- 如果第 7 部分所有指标都评"是",那么应给 7 分。

- 当量表和评分表上出现 NA("不适用") 时,才可对有关指标或整个项目作出"不适用"的评定。决定一个项目的分数时,评为"不适用"的项目均不计分。计算子量表和量表总得分时,所有评为"不适用"的项目也不计分。

7. 计算子量表的平均分时,先加起子量表各项目的得分,然后将总和除以计分项目的总数。计算量表的总平均分时,则将整个量表所有项目的得分总和除以计分项目的总数。

另一评分方式

由于修订版中每个指标都可评分,因此当指标达到符合的水平后继续评审其品质是可能的。按照上述的计分系统,通常的做法是定出指标的品质分数后其评分便告结束。然而,为了研究或改善课程,如果我们希望除品质分数外获得一些表现较佳的领域的更多资讯,那么观察员便可对一个项目内的所有指标继续进行评分。

如果选择这一评分方式,对所有指标都进行评分,那么所需的观察时间和访谈时间就要大大地延长。完成所有指标大约需要观察 3.5 至 4 个小时,访谈则大约需要 45 分钟。额外的资讯可能有助于制订具体的改善计划及解释研究结果。

评分表与概览

评分表用于记录指标和项目的得分。指标以 Y（是）、N（否）及 NA（不适用）来评定。只有指定的指标才可评为"不适用"。项目的评分由 1 分（不足）到 7 分（优良），此外还有"不适用"。只有指定的项目才可评为"不适用"。给指标打分时要注意在 Y、N 及 NA 下面的正确方格内加上记号。项目的品质分数则应清楚打圈（见示例，第 108 页）。

修订版中经扩展的评分表可当作工作纸及计分表两用。它除了有更多做笔记的空位外，还提供了一些问题、图表和其他辅助工具，以便记录观察过程中所收集到的具体资讯，例如儿童桌椅的数目、洗手的次数或各类材料的例子现在都可方便地在评分表上直接进行记录和计算。评分表的最后一页有个图表，用来计算"一天中相当多的时间"的项目（详见以下"量表术语解释"）。评分表也提供了空位用来抄录公布的日程表，方便跟观察到的日程作出比较，从而判断 11 个项目的每一项有没有达到占"一天中相当多的时间"的要求。

131 页上的概览以图表的形式呈现所有项目和子量表的得分，可借此比较优良及不足的领域，并在项目和子量表中选定需要改善的目标。此外也为子量表的平均分留了空位，至少可供绘制两个并排的概览图表，个中变化可以一目了然（详见第 109 页的示例）。

量表术语解释

1. **可取用**（Assessible）：指儿童可以拿到并可以使用的材料、设施、器材等，但并不是说每个孩子在任何时候都要能拿到。例如，某个活动区可以只限一定数目的儿童使用，或只限一日中某些时段使用。小龄学前儿童（2 岁和 3 岁）必须看得到"可取用"的材料。对于年龄稍长学前儿童（4 岁和 5 岁），材料如果存放在封闭的空间，那么必须观察到他们能够自由地拿到并使用这些材料，才算是"可取用的"。一般来说，在"最低标准"这个水平（3 分），儿童可取用的材料是指在每天 8 小时的课程中，他们至少能够拿到并使用这些材料 1 小时。这个 1 小时可以是一次过的，也可以分散在一天中几个时段之内，不是说每个儿童都必须有整整一个小时的使用时间。需要保证的是：儿童如想使用这些材料，都有合理的机会在某个时间用到它们。每天 8 小时以下的课程所要求的时间会相应少一些，要求时数按 1∶8 的比例计算。例如每天 6 小时的课程，要求的时数便是 1 小时的 3/4。可利用这个表来决定 8 小时以下的课程大约要求多少时间。例外的情况见项目 7、8 和 23。

课程时数	2 小时	3 小时	4 小时	5 小时	6 小时	7 小时
要求"可取用"的大致分钟数	15 分钟	25 分钟	30 分钟	40 分钟	45 分钟	50 分钟

2. **"一天中相当多的时间"**（A substantial portion of the day）：是指儿童上学时间的至少 1/3。例如：3 小时的课程中占 1 小时，9 小时的课程中占 3 小时。在计算"一天中相当多的时间"时，必须向教师提问，以便对观察时段以外所发生的事情和可取用的材料作出合理的推算。应根据观察到的事实，以及老师所说在其他时间通常会做的事情，来计算"一天中相当多的时间"。综合不同教室或不同活动区中可以取用材料的状况，对"一天中相当多的时间"（如在室内/户外）作出评估时，要注意必须符合 5.1 中对材料的要求，除非个别项目的注释中声明是个例外。量表中 11 个项目都有这种要求，评分表扩展版的最后一页就是为了帮助评分员评估这些项目的"一天中相当多的时间"而设。该页也提供了空位，可以把一天的日程计划和实际观察到的活动都记录下来。关于计算"一天中相当多的时间"的详细资料，请参考 *All About the ECERS - R* 一书的第 xviii 页和 xix 页。

3. 为了区分**"一些"**（some）、**"许多"**（many）、**"各种"**（varied）等词的含义，我们在注释中把几个项目的材料分类。如：运动大肌肉的器材分为固定的和可移动的两类；运动小肌肉的材料则分为小型搭建玩具、美术用品、操作性材料和拼图；自然/科学材料划分为自然物品、生物、自然/科学图书、游戏或玩具，以及诸如烹饪和简单实验等自然/科学活动。量表经常使用"一些"、"许多"、"各种"之类的词语，许多我们已提供了数目作为判断的指南。然而，实际数量要根据具体班级的儿童人数、儿童的年龄和能力做出判断。如果小组的儿童人数不多，我们建议的数目是合理的，但 15 人以上的班级就可能需要更多的材料。在考虑"多种"（variety）和"许多"（many）之间的区别时，可想象一顿自助餐和一顿包含几道菜但选择较少的饭餐之间的不同。自助餐提供"多种"的选择，而饭餐则未必如此。尽管代表

"最低标准"第 3 级水平的指标中经常出现"一些"这个词，但它偶尔也会见于表示品质水平较高的指标中。在决定一个指标需要多少才算是"一些"时，可考虑比它低一等和高一等的品质水平要求什么。例如，如果"不足"（1）这个品质水平不要求任何材料，那么在"最低标准"（3）这个水平的"一些"就是"一个"或"一个以上"的意思。如果"一些"表示复数，那么指标的要求就是"一个以上"。又如果"不足"这个水平的要求中用上"很少"、"极少"或"几乎没有"等词，那么"最低标准"水平的"一些"就表示其要求介乎水平 1 和水平 5 之间。我们在个别指标的说明中提出了具体的数目。

4. **"洗手及净手剂的使用"**：2011 年版的 *Caring for Our Children*（第 113 页）指出，除非双手明显沾污，否则可用净手剂（hand sanitizer）代替洗手。成人或两岁以上儿童都可使用。因此评定这些指标的得分时可接受净手剂的使用，只要产品含 60%—75% 酒精，用时依照制造商的指示，并密切监督儿童，保证用法正确，以免他们吞食或接触眼睛及黏膜。必须检查以确保制造商的用法指示已被充分遵从，如有任何不遵守的情况都不能得分。如果你观察不到附有用法说明的原装容器，应要求查看。如果儿童使用洁净剂时缺乏严格的监督，应于特别为该项目而设的监管指标下加以考虑，同时也应在安全及监管的项目中作出评估。

如果双手很脏，仍须依规定程序洗手，涂肥皂后须搓手 20 秒，而且不应使用防菌肥皂。共用美术或感官材料的儿童必须在用前及用后洗手，或按指示使用净手剂。

所有学习环境评量表（ERS）的观察员于进入机构时必须洗手或使用净手剂。

使用某些共用的美术及感官材料前无需洗手。潮湿的材料比干燥的材料更易传播细菌。例如共用的蜡笔便无需于用前用后进

行双手的卫生程序,但两名儿童若共用胶泥,或在一个平面上共用手指画颜料则必须洗手。同样地,共用沙子之前(或之后)也不需要,但如果共用水的话,则用前及用后都须进行手部卫生程序。

5. **"教师"**(Staff)一般是指与儿童有直接关联的成人,即教学人员。量表中"Staff(教师)"采用复数形式,因为通常一个班的教师不止一位。如个别教师处理事情的方法有所不同,那么所打的分数应能代表所有教师对全班的总体影响。例如,某班的一名教师说话较多,而另一名教师则相对话少,那么评分时就要看教师的说话在多大程度上满足了儿童听取话语的需要。在所有涉及互动的项目中,"教师"是指身在班上、每天(或几乎每天)花大部分时间与儿童一起工作的成人。这可以包括义工,如果他们在教室里的工作时间达到要求的时数。在评估是否满足项目要求的时候,不应计算那些一天当中只在课堂上短暂逗留或并非日常课堂活动一部分的成人。例如,如果一名治疗师、家长或机构主任进入教室,与儿童进行了简短或非经常性的互动,这些互动在项目评分时就不能计算在内,除非互动的性质非常负面。但有一种例外,在家长合作开办的幼教机构或实验学校,员工往往包括由不同人士担当的教学助理。这些助理应该算作教师。

6. 量表中有几个项目涉及儿童是否可以参加户外活动,其中使用了**"假如天气许可"**(weather permitting)的语句,那是"几乎每天"的意思。除非遇上大雨、极热或极冷的天气,或者由于污染水平较高和极端冷(热)的天气可能导致健康问题,政府发出公告建议人们留在室内,否则在大多数的日子里应该带领儿童穿戴适宜地到户外活动。如果日间稍后时间天气会变得非常炎热,便可能需要调整日程,让儿童在早上到户外游戏。如果下雨潮湿,就需要确保孩子们当天穿雨靴和带备替换的衣物。恶劣天气过后,教师要在儿童出来活动之前检查户外场地、擦干器材设备、清除积水或隔开水坑等。有些机构在户外地方(如平台或露台)装置上盖,它们较可能满足户外活动的要求,如果"天气许可"的话。

《幼儿学习环境评量表(修订版)》子量表及项目

空间与设施

不足		最低标准		良好		优良
1	2	3	4	5	6	7

项目(1):室内空间

1.1 对儿童、成人和设施而言都缺乏空间。*

1.2 缺乏足够的照明、通风、温度调节或吸音设备。*

1.3 修葺不善(如墙壁或天花板油漆剥落,地板粗糙破损)。*

1.4 疏于打理(如地板胶黏或肮脏,垃圾筒满溢)。

3.1 对儿童、成人和设施而言都空间充足。*

3.2 有足够的照明、通风、温度调节和吸音设备。*

3.3 修葺良好。

3.4 空间相当干净并打理良好。*

3.5 班级所有儿童和成人都可无障碍地使用空间(如设有残障人士使用的坡道和扶手、供轮椅和助步器通行的通道)。*
可评"不适用"

5.1 室内空间宽敞,儿童和成人可活动自如(如设施不会妨碍儿童的活动,有充足的空间摆放残障儿童需要的设备)。*

5.2 通风良好,自然光可通过窗户或天窗透入室内。

5.3 残障儿童或成人都可无障碍地使用空间。*

7.1 可以调节自然光(如设有可调节的百叶窗或窗帘)。

7.2 可以调节通风(如可以开窗,可以使用抽气扇)。*

* 注释：

1.1　空间需要应根据在同一时间儿童参与活动的最多人数来计算。

1.1、1.2、3.1、3.2　应纯粹根据观察所得评分，看看一天中大部分时间教室在使用时空间所发挥的功能。"缺乏空间"即没有足够的空间可用。当教室极度拥挤时才评"是"。"空间充足"指有足够的空间供正常运作之用。如果空间够大是因为缺少基本的设备和器材，那么 3.1 就不能得分。如果教室里非常嘈吵，以致交谈困难，教室里的人明显感觉不舒服，那么即使教室中有若干吸音材料(如地毯、隔音天花板)，也不能算是有足够吸音材料而得分。不管是什么原因，如果噪音经常扰人，都说明吸音材料不是很有效。即使噪音事实上不来自所观察的教室，道理也是一样。

1.3　"修葺不善"的意思是存在严重的维修问题，对健康或安全构成威胁。

3.4　在每天的常规活动中出现肮脏的情况是可以预期的。"空间相当干净"的意思是看得出每天清洁过，比如扫过地和拖过地板，脏乱的情形如溅泻果汁也很快获得清理。

3.5、5.3　室内空间的最低合格标准是目前参与课程的残障儿童及成人都可以来使用它。如果目前课程中没有残障人士，那么指标 3.5 应评"不适用"。然而，如要取得 5 分，则空间的使用必须是无障碍的，不管课程有没有涉及残障人士。因此，5.3 只需评"是"或"否"。

5.1　在评量室内空间是否"宽敞"时，应同时考虑活动区和照料区。例如，考察积木角或家庭角时，除注意儿童游戏时应有足够空间自由活动外，这些区需用的材料和设施也应有许多储存的空间。如果至少有两个活动区很拥挤，即使常规照料的空间很大，也不能得分。

5.3　这个指标如要得分，教室和洗手间(包括有间隔的厕所)必须适合残障人士使用。门应该有 32 英寸(81.4 厘米)宽。门的把手应尽少用手来操作。入口的门槛应该 1/2 英寸(1.27 厘米)高或更低，如果高出了 1/4 英寸(0.64 厘米)，那就必须做成斜面以便轮子经过。但是，项目 4"室内游戏空间规划"将会探讨室内各游戏区的进出要求，故在此不论。项目 2 的指标 3.3 和 5.3 则会考虑厕所的改装问题(如帮助使用者站稳的扶手)。如果设有两个或两个以上的洗手间供儿童使用，则只需其中一个是无障碍的。这项指标也考虑进出学校建筑物本身以及进出教室所在楼层的问题。"无障碍"的界定应以本注释的资料为准，此外别无其他要求。

7.2　通往户外的门如果开着也不构成危险(如设有上锁的纱窗或安全栏，防止儿童在没人看管下离开教室)，才可以算是通风设施。

不足		最低标准		良好		优良
1	2	3	4	5	6	7

项目(2)：日常照料、游戏和学习设施*

1.1 日常照料、游戏和学习的基本设施不足(例如：没有足够的椅子让所有儿童同时使用,开放式的玩具架很少)。*

1.2 设施维修欠佳,以致儿童会因此受伤(如木器有裂片、钉子外露、椅脚不稳)。

3.1 有充足的日常照料、游戏、学习设施。*

3.2 大部分设施都很牢固并保养良好。*

3.3 残障儿童有适用的设施(如经过改装供肢体残障儿童使用的椅子或支架)。*
可评"不适用"

5.1 大部分设施的尺寸适合儿童。*

5.2 所有设施都很牢固并保养良好。*

5.3 残障儿童可使用经过改装的设施,使他们可以与同辈融合在一起(如使用特殊椅子的儿童可以和其他人一起坐在桌子旁)。*
可评"不适用"

7.1 日常照料的设施使用方便(如儿童床、床垫可方便取用)。*

7.2 采用木质的工作台、玩沙和玩水的桌子或画架。*

项目(2)：在给这个项目的各个指标进行评分时，不仅要考虑常规的照料设施，还要记住考察游戏设施。基本设施：吃正餐或点心以及活动时所用的桌子和椅子、休息或午睡用的儿童床或床垫、储存儿童用品的小壁橱或其他储存空间、低矮的开放式游戏材料架或学习材料架。这些架子如要得分，必须是用来放置玩具或材料，而且架上的东西是儿童可以自己取用的。

1.1　"基本设施不足"是指注释中列举的日常照料、游戏、学习所需的基本设施数量不足或不够用。如果大部分玩具都放在箱子里或玩具箱中，而不是放在开放的架子上，那么恰当的评分应为"是"。

3.1　判断日常照料的设施是否充足时，可对比须储存的物品来考量储物格的大小。储物格是否足够容纳每个小孩拥有的所有东西。班上每个儿童必须各有一个不与别人共用的储物格，其空间可以存放他的所有东西，这样可以减少虱子和疥疮的传染。当儿童的个人物品像外套、额外的衣服、毛毯等（如存放在储物格）没有得到合理的分隔，又或储物格满载，以致东西都掉在地上，3.1便应评"否"，因为储物格的大小不足以容纳必须装进去的东西。如果个人物品略有接触（例如冬天大衣的衣袖突了出来，接触到其他儿童的东西），或者其他物品有小问题，只需把这些物品适当地推回格内便可解决，则储物格应视为足够。儿童个人物品的任何接触亦应于卫生项目下加以考虑。

3.2　牢固是指设施本身的一个属性（指使用时不会破裂、翻倒或坍塌）。如果将一件牢固的家具放在一个容易碰倒的地方，那便属于安全的问题（见项目 14"安全措施"），而不是设施牢固与否的问题。

3.3、5.3　如果班上没有残障儿童或残障儿童不需要适合的用具，3.3

和 5.3 应评"不适用"。

5.1　这项指标只针对儿童桌椅的尺寸。如果小壁橱或其他设施有尺寸方面的问题，应在 7.1 下考虑。当儿童靠着椅背坐在椅子上时，他们的脚应能碰到地面（不必脚掌平放在地板上）。儿童不应坐到椅子边缘才能脚碰地面。他们应该能够将手肘平放在桌子上，同时舒服地将膝盖置于桌子下面。如果儿童的桌椅太小，也要做出评价。要在观察过程中反复检查儿童家具的合适性，包括当所有儿童都坐在一起（如吃午餐）的时候。如果75%的儿童能够使用儿童尺寸的桌椅，这一指标便可得分。

　　由于不同年龄的儿童身材不同，这里的目的是要保证家具的大小适合受照顾的儿童。比成人家具规格较小的家具可能适合6、7岁的儿童，但对2、3岁儿童来说肯定过大。

5.2　给这一指标评分时，不要太过追求完美。如果有点小问题，只要不大可能构成安全威胁，就可以给分。例如，桌子或椅子有轻微的摇晃，但不会塌下来或让儿童跌倒；又比如人造皮革沙发套子稍稍有点磨损，但是里面的塑胶、海绵并没有露出来，便不要因这些小事情扣分。除非类似的小问题很多，给人的整体印象是维修保养很差，则另当别论。

7.1　因为监管困难，放置儿童物品的小壁橱必须位于教室之内才算方便。

7.2　给这一指标打分时，不必看到各种家具的使用情形，但是应该有明显的迹象显示它们是用于适当的活动，而不是只供储物之类。如不确定，可以询问教师家具是在什么时候作何用途的。

不足		最低标准		良好		优良
1	2	3	4	5	6	7

项目(3):休闲和舒适的设施 *

1.1 儿童没有柔软设施可用（如沙发、靠垫、小地毯、豆袋椅）。*

1.2 没有可供儿童取玩的软质玩具（如填充小动物、毛绒娃娃）。*

3.1 有一些供儿童使用的柔软设施（如铺了地毯的游戏区、靠垫）。*

3.2 有一些供儿童取玩的软质玩具。*

5.1 一天中相当多的时间儿童可以使用舒适区。*

5.2 舒适区不受动态体能游戏干扰。*

5.3 大部分柔软的设施都很干净而且维修良好。*

7.1 除了舒适区之外，儿童可使用其他柔软设施（如角色游戏区的靠垫、一些铺上小地毯的区间，或满铺的地毯）。*

7.2 有许多干净的软质玩具供儿童取玩。*

*注释：

项目(3)：“休闲和舒适的设施”是指儿童在学习和游戏活动中可以接触到的柔软材料，日常照料设施如午睡用的儿童床、毛毯和枕头不算在内。

1.1 对于“有还是没有”的界定，详见第 20 页“量表术语解释”。

1.2 软质玩具包括布偶（即使布偶的头或手是硬的）、全部柔软或只有身体部分是柔软的娃娃、各种尺寸的软质玩具动物，包括儿童一只手就可以握住的，以及可以坐或躺在上面的。

3.1 “有一些供儿童使用的柔软设施”是指在所观察的教室内，至少有两种柔软的设施可供儿童游戏时使用。

3.2 “有一些供儿童取玩的软质玩具”是指儿童至少可以取玩三种软质玩具。

5.1 “舒适区”是一个范围明确的空间，里面有相当多的柔软设施，儿童可以在这里闲荡、做做白日梦、看看书，或静静地玩耍。例如，这个空间可能铺了柔软的小地毯，范围内有一些靠垫、一张有靠背的沙发，或者一块放着靠垫的铺好的床垫。舒适区必须为儿童提供多种柔软材料。这意味着他们在这里可以完全远离一般幼儿教室的硬邦邦感觉。单一的小件物品本身并不构成一个舒适区。例如，一张软垫小椅、一张儿童尺寸的豆袋椅、几件细小的填充动物玩具，或者铺了地毯的角落。但是，这些东西如果放在一起，则可以得分。一些大的设施，如床垫、沙发或成人尺寸的豆袋椅，如果一天中相当多的时间能够为儿童提供所需的柔软感觉，便可得分。

“一天中相当多的时间”的含义见第 20 页“量表术语解释”。

5.1、5.2 如果有两个或以上的舒适区，不必每区都达到 5.1 和 5.2 的要求，但是其中必须有一个设置了相当多的柔软材料，经常作为

儿童休息之所，而不是用来进行动态的体能游戏。必须清楚的一点是，别让活跃地游戏的孩子不断打扰一个想用舒适区来休息的小朋友。可综合考虑所有空间，以决定儿童是否一天中有相当多的时间可以使用舒适区。

5.2 舒适区可用来进行短暂的小组活动（如跳舞或围圈时间），但是每天经常性的、活动量较大的游戏不可以在这里进行。区内不应有配合大活动量游戏的器材，也应防止活跃的孩子进入（通过活动区的位置规划或竖立栅栏）。该区不应设在人流量较大的地方。教师要常常留意，避免活跃的儿童扑向或撞倒正在休息的孩子。

5.3 特别要检查豆袋椅、靠垫、沙发等的外罩是否有撕裂的地方，以致衬垫物或填充物露了出来。“大部分柔软的设施”是指几乎全部，除了一两个小物品例外。

7.1 如有额外的柔软设施可供游戏之用，可以得分。如果桌下铺了地毯，但不是用来坐或玩游戏的，则不能得分。

7.2 “许多”是指儿童有足够的软质玩具，不必竞争。2 岁和 3 岁幼儿每人至少应有两件软质玩具；4 岁和 5 岁（幼儿园）儿童至少应有10 件玩具；若每次参加活动的儿童超过 20 人，有足够玩具供半数儿童玩耍即可。

不足		最低标准		良好		优良
1	2	3	4	5	6	7

项目(4):室内游戏空间规划

1.1 没有划出兴趣区。*

1.2 很难监察兴趣区。*

3.1 至少划出了两个兴趣区。*

3.2 监察兴趣区并不困难。*

3.3 有足够的空间同时进行多个活动(例如:有玩积木的地面空间、操作活动的桌面空间、艺术活动的画架)。*

3.4 班级的残障儿童都可使用游戏区的大部分空间。
可评"不适用"

5.1 至少划出了三个兴趣区,并提供方便的设施(例如:艺术角附近有水,有足够的架子安放积木和操作玩具)。*

5.2 安静区和活动区分布得宜,互不干扰(例如:阅读角或聆听角不靠近积木角或家庭角)。*

5.3 空间的分布使大部分活动不会受到干扰(例如:架子的位置让儿童可以绕过活动走而不是从活动中间穿过,家具的摆放防止粗鲁的游戏或奔跑)。

7.1 至少划出了5个不同的兴趣区可以提供多种学习经验。*

7.2 兴趣区的安排使儿童能独立使用它们(例如:贴上标签的开放式架子和玩具收纳箱,开放式架子上没有堆放过多的东西,游戏区靠近放玩具的地方)。*

7.3 有额外的材料可以充实或改变兴趣区。

*注释：

1.1、3.1、5.1、7.1　兴趣区是一个区间，里面放置的材料经过分类，方便儿童使用。区内并提供配合的设施，供儿童参与特定的游戏。兴趣区的例子包括美术角、积木角、角色游戏角、阅读角、自然/科学角、操作游戏角或小肌肉活动角。

1.2、3.2　利用架子或其他家具将一个房间划出兴趣区和兴趣中心的规划方法可予肯定，因为这样房间不难监察，只要教师在儿童使用的空间内走动，便能经常看得到每个小孩，确保孩子安全，并且在有需要时可与孩子互动。即使教师可能不是任何时间都看得到所有儿童，仍可得分。不过，评分时必须考虑儿童的年龄、能力及冲动性。年龄稍长和较不冲动的幼儿比小龄或较冲动的幼儿需要的监管少一点。此外，房间的形状若有轻微问题，例如房间有个小翼（不是一个十足的 L 字形）或柱子，以致造成小盲点，仍可接受，只要监督充分，可以满足儿童的需要。评分时注意教师的监督与房间规划的关系，以决定对儿童的监察是否足够。

1.2　除非教师很难监察这个区，否则不要评"是"。决定给分时须考虑儿童的年龄。

3.3　留意：一天中须有某段时间可以提供足够的空间让最少三项不同的活动同时进行。

5.2　要留意：活动区或喧闹区与较安静的区域之间应有空间分隔，并应找出它们之间的实际距离。运用开放式架子一类的东西作为间隔其实不能减低噪音。所有安静区与喧闹区都须隔开才能得分。

7.2　这一指标如要得分，所有兴趣区的几乎全部材料都必须经过悉心安排，让儿童能独立加以使用。并非所有区都需有标签。其他可以得分的情况如：架子上没有堆积东西、透明或贴上标签的玩具箱、拼图或其他游戏材料很容易从架子上取下来、套装的材料用盒子储存、装载玩具材料的容器配有盖子，儿童可以轻易打开。

问题：

7.3　你给活动区增添了哪些额外的材料?

不足		最低标准		良好		优良
1	2	3	4	5	6	7

项目(5):私密空间 *

1.1 没有防止其他儿童打扰,以致小朋友不能单独玩耍或和另一朋友玩耍。		3.1 允许儿童自己去寻找或创造一个私密空间(例如:在家具或房间隔板后面、在户外游戏设施内、在教室的安静角落里)。		5.1 有专门设置的空间供一个或两个小朋友玩耍,免受他人打扰(例如:执行"不要干扰"的规则、用架子围住的小空间)。*		7.1 有一个以上的私密空间。
		3.2 教师很容易监察私密空间。*		5.2 一天中有相当多的时间可以使用私密空间。*		7.2 教师为一个或两个儿童设计活动,让他们离开团体活动,使用私密空间(例如:在一个安静角落的小桌子旁边装置两块插孔板(pegboard),供一个或两个儿童使用的电脑)。*

项目(5)：设置私密空间的目的是让儿童舒缓集体生活的压力。把儿童隔离群组作为惩罚的做法，在这项目中不能得分。能够让一个或两个儿童在其中玩耍而不受其他儿童干扰，同时又方便教师监管的地方，才算是私密空间。建立私密空间有很多方法：例如可以利用书架之类的屏障、执行"不要干扰"的规则、在人流少的角落里放置桌子并限定使用桌子的人数等。私密空间可以是一个小阁楼；只供一个或两个儿童使用的活动区；开有门窗、里面放了一个小靠垫的大纸皮箱；一座细小的户外玩具屋（私密空间的定义详见 *All About the ECERS－R* 第 35 页、39 页及 40 页）。

3.2　所有用作私密空间的地方必须易受教师监察。一个小孩使用的私密空间如果足够开放，容许监督的话，就是教师容易监察的。教师不必任何时间都看得到这空间，只要他们在房间内走动，能经常看得见儿童所用的私密空间，确保每个孩子安全便行。评分时，注意教师的监督与私密空间的使用之间的关系，以决定对儿童的监察是否足够。评分时必须考虑儿童的年龄、能力及冲动性。年龄稍长和较不冲动的幼儿比小龄或较冲动的儿童需要的监察少一点。

5.1　这指标如要得分，教师必须在有需要时执行"不要干扰"的规则。

5.2　这指标仅适用于指标 5.1 中的"专门设置的空间"。如果指标 5.1 没得分，那么 5.2 也不能得分。

7.2　这儿的"教师"是指班级的常规教学人员。特别到班上来与一两个儿童互动的专家不算在内。"教师"的定义见第 21 页的"量表术语解释"。

问题：

7.2　你试过只为一两个儿童设计活动，让他们离开其他儿童的团体活动吗？如果有，请举例。

不足		最低标准		良好		优良
1	2	3	4	5	6	7

项目(6):儿童陈列品 *

1.1 没有为儿童而展示的物品。

1.2 陈列品不适合班里大多数儿童的年龄(如幼童的教室却展示了为学龄儿童或成人设计的材料、反映暴力的图片)。*

3.1 陈列品适合班里大多数儿童的年龄(如儿童的照片、儿歌、为年龄稍长幼儿而设的阅读和数学启蒙材料、季节性陈列品)。*

3.2 展示一些儿童的作品。*

5.1 许多陈列品与最近的活动和班里儿童紧密相关(如有关近期活动的美劳作品或照片)。*

5.2 大部分陈列品是儿童的作品。*

5.3 很多陈列品放置在与儿童齐眼的高度。

7.1 具个性化的儿童作品占大部分。*

7.2 陈列品中既有平面的也有立体的儿童作品(如胶泥、黏土、木工作品)。*

*注释：

项目(6)：架子上指示材料储存地方的标签，以及中心的标志或指示牌不算是陈列品。

1.2 对儿童有意义的材料才是适合的。如果 50% 以上的陈列品对班上半数以上的儿童来说不适宜，或者陈列品当中有任何表现暴力或偏见的情况，评"是"。

3.1 "适合"是指适合班里儿童年龄的发展水平以及儿童个体能力，也就是"发展的适宜性"的概念。这个词在本量表的多个项目中出现。评分时只须考虑儿童一天中主要使用的那个教室的陈列。如果 75% 的陈列品适合儿童，而且不涉及暴力和偏见，评"是"。

3.2 "一些"是指至少陈列着两件儿童的作品，而且儿童很易看到。

5.1 "许多陈列品"是指大约 30% 的陈列品。本指标的第一部分要求陈列品要与班里儿童正在进行的活动相关，目的是教师可以把陈列品用作教学工具。工具随儿童的兴趣主题改变而改变，为儿童的经验提供更多的资讯。例如，如果儿童正在谈论一年四季、他们正在做的科学计划，或者即将举行的校外活动，这些资讯都应在陈列品中反映出来。这指标不考虑近期完成的、但与班上正在进行的活动无关的美劳作品。如果有需要，可以询问教师哪些陈列品与最近一个月的活动主题有关，以补充观察所得。

　　这项指标的第二部分要求陈列品要有关于儿童自身的东西。要看陈列品中有没有班里儿童的照片、自画像或附儿童姓名的身高图表。儿童的照片并非必需，但陈列品应该与班里的儿童有关（如儿童口述的故事、儿童参与制作的图表）。

5.2 留意陈列品有没有充分展示儿童的美劳作品，并根据所得的整体印象评分，不必细数美劳作品的数目。如果儿童作品与非儿童作品各占一半，或者两者比例相近，难下判断，那么只要大部分是儿童作品，便可得分。

7.1 如果展出的儿童作品中 50% 以上属个性化的作品，评"是"。个性化作品指作品的主题或所用的物料是由儿童自己选择，并且以他/她自己独特的方式来完成的。故此，个性化的作品应该是各自不同的。依照教师的式样而成的、缺乏独创性的作品不能算是个性化作品（个性化的进一步解释详见 *All About the ECERS - R* 第 51、52 及 53 页）。

7.2 "立体"作品必须有高度、宽度和深度。当儿童用废物、发泡胶或木材创作雕塑或使用黏土和泥胶（但不是用点心印模印泥胶）的时候，他们必须向上方和前方构建。在平面上粘东西（如将碎料或发泡胶小粒粘在一张平坦的纸或纸板上）不算是立体作品。

不足		最低标准		良好		优良
1	2	3	4	5	6	7

项目(7):大肌肉活动空间 *

1.1 户外或室内都没有用来做大肌肉活动/体能游戏的空间。

1.2 大肌肉活动场地很危险(例如:需要在繁忙的街道上走一段路才到达,场地既用来让儿童游戏又用来停车,学前儿童使用的场地没有栅栏)。*

3.1 户外或室内有一些用来做大肌肉活动/体能游戏的空间。*

3.2 大肌肉活动的场地大致安全(例如:攀爬器械下面有足够的软垫,户外场地有栅栏围住)。*

5.1 户外活动空间充足,室内也有一些活动空间。*

5.2 组里的儿童可以很容易来到大肌肉活动场地(例如:设在同一楼层并靠近教室,残障儿童也通行无阻)。

5.3 空间的规划使不同类型的活动互不干扰(例如:带轮子器材的游戏区与攀爬区和球类游戏区分开)。*

7.1 户外大肌肉活动场所的地面铺设了不同的物料,可以进行不同类型的游戏(如:沙子、柏油、木屑、草皮)。*

7.2 户外活动场所有一些防御恶劣天气的设施(例如:夏天有遮荫,冬天有阳光,有防风篱笆和良好的排水系统)。*

7.3 空间有方便使用的特点(例如:靠近厕所和饮水区,储存的器材容易取用,有直接通道通到户外)。*

* 注释：

项目(7)：在评价大肌肉游戏空间时，除非指标中特别指明室内或户外，否则空间包括两者在内。给这个项目评分时，所有通常可用来进行大肌肉活动的场地都应该考察，即使场地内没有见到儿童。

1.2、3.2 尽管对儿童具挑战性的大肌肉活动场地不可能一点危险也没有，但此指标的目的是将有可能引致严重损伤的主要因素减到最少，例如因跌落在不合格的软垫上而受伤。其他造成损伤的因素：如卡住人的狭小空间、身体某部位被夹住，或者被场地内非大肌肉活动器械的凸出物弄伤。关于设备的安全性见项目8"大肌肉活动器材"。本项目考虑的是大肌肉活动场地的安全性(而非大肌肉活动器材的安全性)。需要铺设软垫地面的防跌区(fall zone)算是场地的一部分(而不是器材)，因此也在这里讨论。在决定防跌区是否需要铺设软垫地面时要考虑坠下的高度和速度。教师批准可用来进行刺激性的、大活动量的游戏的任何场所，如果游戏可能导致严重后果，都必须有设备足够的防跌区。

请注意，幼教机构必须证明器材的物料符合弹性要求。如果涉及的材料不包括在 *All About ECERS-R* 第62和63页的《游乐场资料》图表内，例如灌注的或安装的发泡胶、橡胶的平面等，有关的材料弹性要求如下：开办幼教服务机构的人士必须提出书面证明，表示已经满足 ASTM (American Society for Testing and Materials 美国材料和试验协会)1292 对器材用料的要求。

尽管《消费者产品安全委员会指引》(*Consumer Product Safety Commission Guidelines*)对软垫地面和防跌区的要求只适用于设有固定器材的地方，但是为了评分，这些标准应该亦适用于大肌肉游戏的所有器材，因为在大肌肉活动中，跌到没有足够铺垫的地面上这种事情有可能发生(更多资讯见 *All About*

ECERS-R 第57—67页)。

场地内任何非大肌肉活动设施(如栅栏、储藏间、空调机、角色游戏的设备、长凳、野餐桌、玩水区)也应在这一项中加以评价，因为它们可能构成安全问题，比如矮栅栏的凸出物、三轮车通道上的杂物，或可以接触到的危险物品。

3.1 "一些空间"的意思是：每天4小时或以上的课程，班上的儿童每天要能使用室内或户外的大肌肉活动场地至少一小时；每天8小时以下的课程，请看第20页"量表术语解释"中的图表，以决定要求的时间。

3.2 一个不易监管的场地仍可看做是大致上安全的，因为这项目不考虑监管场地的能力问题。有关问题将在项目29"大肌肉活动的管理"中探讨。所有用来进行大肌肉游戏的空间，不管何时使用，都应加以考察，包括走廊、有上盖的露台、停车场等。

5.1 如要打5分，空间必须够大，适合使用群组的人数。要查清楚空间究竟是几个班轮流使用还是同时使用。必须具备一些室内空间供大肌肉活动之用，特别在天气恶劣的时候。这些空间平时可以用来进行其他活动。教室和走廊如果够大和够开放(必要时可以通过移动家具)，也可算是"一些室内空间"。有些地区天气长期温和，带上盖的户外场地可以常年使用，这种场地也可以算作"一些室内空间"。由于受到环境条件的限制(如极端的天气或污染、危险的社会环境)，有些机构如有足够的室内空间和一些户外活动场地的话，也可得分。

5.3 给这项指标打分时，要观察大肌肉活动区的各种活动是否互相干扰(例如儿童不会在区内奔跑时撞到玩具，从滑梯上滑下来的时候不会撞到东西，玩带轮子的玩具时不会穿过其他活动以致碰倒别人）。

7.1　足够大的水泥地面户外场地和柔软地面的户外场地至少要各有
　　　一个，供儿童玩某种游戏，而且这些场地应该每天都可以使用。

7.2　只要观察到一项防御恶劣天气的设施，就可以给这指标打分，但
　　　设施必须是因应当地最常见的恶劣天气而建。

7.3　至少要观察到两个便利特点，指标才可得分。

问题：

5.1　大肌肉活动有哪些可用的室内空间，特别是在天气恶劣的时候？

不足		最低标准		良好		优良
1	2	3	4	5	6	7

项目(8):大肌肉活动器材*

1.1 可用于游戏的大肌肉活动器材很少。

1.2 器材一般保养不善。

1.3 大部分器材不适合儿童的年龄和能力(例如:为学前儿童提供 1.8 米高的开放式滑梯、成人尺寸的篮球框)。*

3.1 所有儿童每天至少有一个小时可以使用 一些大肌肉活动器材。*

3.2 器材一般保养良好。*

3.3 大部分器材适合儿童的年龄和能力。*

5.1 有充足的大肌肉活动器材,儿童使用时不需花很长时间等待。*

5.2 器材促进儿童多种技能的发展(如平衡、攀爬、玩球、操控带轮子玩具的驾驶盘和脚踏板)。*

5.3 为班上残障儿童改造器材或提供特殊的器材。*可评"不适用"

7.1 采用固定的和可移动的大肌肉活动器材。*

7.2 大肌肉活动器材促进不同水平的技能发展(例如:提供有踏板和无踏板的三轮车、大小不同的球、设有斜坡和梯子的攀登架)。*

项目(8)："大肌肉活动器材"包括机构提供的或教师经常允许儿童用来进行大肌肉活动的任何物品。它们包括用来攀爬、滑坡、平衡或做其他大肌肉活动的制成品、订制品或自然物。作其他用途的东西则不包括在内，如长凳、遮荫的树木，或儿童不应该攀爬的架子，除非教师经常允许儿童将它们用作大肌肉活动的器材。大肌肉活动器材可分为几类：固定的器材，如秋千、滑梯、攀爬架、架空梯；可移动的器材，如球类和其他体育用品、带轮子的玩具、翻滚垫、跳绳、豆袋和套环游戏。给大肌肉活动器材评分时，要同时考虑室内和户外的运动器材。

1.3、3.2、3.3 从大肌肉活动器材的合适性和状况两个方面处理安全问题。地面铺了软垫的防跌区的安全性，以及存在于大肌肉活动场地的所有其他危险，均在项目7"大肌肉活动空间"中加以考虑。

3.1　每天8小时以上的课程，至少要有1小时让儿童使用大肌肉活动器材。8小时以下的课程所要求的时间短一点，实际的要求时数依1:8的比例计算。请看第20页"量表术语解释"中的图表，以决定要求的时间。"一些"是指在大肌肉活动时间内，所有儿童都能使用器材。

3.3　如果是混龄组，适合的活动器材是指不同能力的儿童各有合适的器材可用。特别要考虑固定器材如攀登架的合适性，因为此类器材属永久性设施，孩子时常都可使用。"大部分"是指75%的固定器材适合所观察儿童的年龄和能力。

5.1　"充足"的意思是儿童进行大肌肉游戏时有好玩的选择，并且不用花很长时间去等待自己选择的器材。要同时考虑可移动的和固定的器材。

5.2　儿童可使用的器材要能促进7—9种不同技能的发展，才算符合"多种技能"发展的要求。一般来说，一件运动器材不能同时促进儿童多种技能的发展，但是一款非常复杂的攀爬梯可能会达到指标的要求。除了在例子中列举的技能之外，其他的技能还包括推/拉、用双臂悬挂身体、摇荡、跳跃、单脚跳、跳绳、玩呼啦圈、将物体投入容器内、接住物体、投掷或踢。仔细观察大肌肉活动器材可以促进多少种技能的发展，并将它们列出。要同时考察可移动的和固定的器材。

5.3　改造可以是将现成的活动器材改装或是专门设计器材。此外还包括教师对残障儿童的帮助，使他们能够拥有像同龄人一样的大肌肉活动体验。如果所观察的班级没有儿童需要这类改装，可评"不适用"。

7.1　对儿童来说，器材的可移动性是游戏潜质的一部分（如带轮子的玩具、球类、跳绳、呼啦圈、滚轴溜冰鞋、球棒、网球拍等）。游戏时儿童不能或者不应移动的器材，即使不是固定在地上，也算是固定的器材，应该拿走。

7.2　在决定器材是否能促进不同水平的技能发展时，要考虑儿童的年龄以及他们的挑战是什么。

个人日常照料

不足		最低标准		良好		优良
1	2	3	4	5	6	7

项目(9):入园与离园 *

1.1 经常忽略跟儿童打招呼。*

1.2 离园环节没有安排好。

1.3 不允许家长带孩子进入教室。

3.1 教师跟大部分儿童亲切地打招呼(例如:教师看到儿童时很高兴,面带微笑,说话的语气令人愉快)。*

3.2 离园的安排良好(例如家长来接时儿童已经准备好可以离开)。

3.3 允许家长带孩子进入教室。

5.1 每个儿童都得到个别的招呼(例如:教师叫孩子的名字并说"你好",用儿童的母语说"你好")。*

5.2 儿童快乐地离园(例如:不催促儿童,教师拥抱每个孩子并说"再见")。

5.3 教师亲切地跟家长打招呼。*
可评"不适用"

7.1 儿童入园时,如果有需要,教师会帮助他们融入活动。

7.2 儿童到离园为止一直忙于投入活动(例如:没有无事可做、长时间等候的情况,让儿童在适当的时候结束游戏)。

7.3 教师利用入园和离园的时间与家长交流。*
可评"不适用"

注释:

项目(9):如果观察到的入园或离园人数不多,可根据观察到的样本作出推论。

1.1　儿童走进教室时或进入教室后不久(1—2分钟之内),教师通常(75%的时间)不会跟他们作语言或非语言的、正面或中性的交流。

3.1　"大部分"要求至少75%的儿童得到亲切的招呼。任何新来的教师也都向孩子问好。

5.1　仔细观察向儿童问好的环节,看看是否每个儿童都得到真正的、个人化的招呼(例如:教师与儿童有眼神接触并面带笑容、叫儿童的名字或昵称、跟儿童说话或问他东西)。(正确评量入园和离园环节的建议,请看 *All About the ECERS-R* 第80—85页。)

5.3　这指标并不要求老师跟每一位家长都亲切地打招呼才能得分,但要能看到在一般情况下(大约75%的时间)家长都获得这样的待遇。

5.3、7.3　如果儿童不是由家长送上学,5.3和7.3应评"不适用",然后评量项目38"家长支援"。

7.3　得分并不要求每位家长在入园和离园时都从教师那里获得资讯,但是要求看到家长获得这种待遇。

问题:

可否请你描述一下每天儿童和家长入园和离园的情形?

不足		最低标准		良好		优良
1	2	3	4	5	6	7

项目(10):正餐/点心

1.1 正餐/点心的时间安排不合理(如即使儿童饿了也必须等待)。

1.2 食物的营养价值无法接受。*

1.3 通常不能保持卫生(例如:大部分儿童及/或成人处理食物之前不洗手、桌子不清洁、厕所/换尿片的地方和食物准备区不分开)。*

1.4 消极的社交氛围(例如:教师执行进餐规则时很严厉;强迫儿童吃东西;进餐场面混乱)。

1.5 没有为对某些食物过敏的儿童调整食物。
可评"不适用"

3.1 进餐时间适合儿童。

3.2 正餐/点心营养均衡。*

3.3 卫生状况通常保持良好。*

3.4 正餐/点心时间没有惩罚的氛围。

3.5 公布过敏食物资讯,并提供替代的食物/饮品。*
可评"不适用"

3.6 残障儿童和同辈一起坐在桌旁进餐。
可评"不适用"

5.1 大部分教师在进餐和集体吃点心时和儿童坐在一起。*

5.2 愉快的社交氛围。

5.3 鼓励儿童独立进食(例如:提供适合儿童的餐具,为残障儿童提供特殊的汤匙和杯子)。

5.4 遵从儿童的家庭饮食禁忌。
可评"不适用"

7.1 儿童用正餐/点心时帮忙(例如:布置餐桌,给自己盛饭菜,收拾餐桌,溅湿了桌子自己抹干)。

7.2 采用大小适合儿童的餐具,方便儿童自助(例如:儿童使用的小水瓶,结实的碗和汤匙)。

7.3 吃正餐和点心时正好交流(例如:教师鼓励儿童谈论当天的活动和他们感兴趣的事,儿童之间互相交谈)。

*注释:

1.2、3.2　这些指标旨在考察儿童的正餐或点心的食物组合是否正确。这里没必要去分析食物的营养价值。要决定提供的食物组合是否符合标准,可参考 *All About the ECERS-R* 第91页美国农业部(USDA)为1—12岁儿童制定的饮食指引。在判断儿童食物是否优质时,评价员不应以本身的饮食喜好为依归(如对全麦面包与白面包的取舍,或新鲜蔬菜与罐头蔬菜之间的选择)。只要能在可以接受的时间内提供规定的、营养充足的正餐及点心(即:4小时或以下的课程＝1顿正餐或点心,4—6小时的课程＝1顿正餐,6—12小时的课程＝2顿正餐及1顿点心或2顿点心及1顿正餐,12小时以上的课程＝2顿点心及2顿正餐),指标3.2便可得分。若偶尔出现不符合指引的情况,如生日会上吃纸杯蛋糕而不是常规的点心,评分应该不受影响。于规定的正餐/点心以外,任何额外的食物不需符合食物组合的要求。除了观察提供的食物,还要检查一周的餐单。如果没有餐单,可以请教师描述一下上周提供的正餐/点心。

1.3、3.3　参看第21页"量表术语解释"中"洗手及净手剂的使用"。
　　　　美国国家环境保护局(EPA)批准的另一"洁净剂"(sanitizer)可代替常用的稀释漂白水,用于清洗餐桌、高脚椅的托盘及其他与食物有关的表面。检查原装容器的标签,寻找"EPA洁净剂"的注明。须肯定所有用法指示已经遵守,例如洁净剂须保留在表面多久,或者用后需否以水冲洗。如没有遵从用法指示,那么清洗表面便不能得分。适当的话,使用替代洁净剂的安全问题(例如须冲洗残留物而没有照做,或没有把洁净剂置于儿童接触不到的地方)应于项目中的监管指标下加以考虑,或于安全及一般监管的项目中作出评估。

由于要求三项重要的卫生措施(清洗/洁净用餐的表面、进食前后的手部卫生,以及提供不受污染的食物),故须考虑每项要求的措施实行到什么程度。如果三项中有两项未加留意(例如完全忽略洗手、没有尝试清洁餐桌,及/或在导致极度污染的情况下准备食物),那么1.3便应评"是"。执行洗手程序时可以有轻微的不足(没有搓手20秒,但手部表面都经彻底洗擦;没有先湿手,但肥皂仍产生泡沫)。不过,双手应得到合理的清洁。如果有显著的尝试显示要完成所有措施,即使有些程序没有做到绝对正确,3.3也应评"是"。如果以最少的努力做完所有程序,但完成的措施严重出错,则3.3应评"否"。

1.3　即使点心时间比较灵活,儿童可以在一段时间内来来去去,卫生要求仍然不变(例如当不同的儿童在不同的时间使用同一张桌子时,则儿童离座后便应清洁桌子;儿童进餐前都要洗手)。如果儿童用手进食或进食时弄脏了手,那么进餐后应该洗手。

3.3　如果卫生状况一般保持良好,洗手以及其他的卫生程序显然已是课程的一部分,那么尽管偶尔有不合规则的情形,3.3仍可得分。

3.5　如因食物过敏或特殊的家庭饮食禁忌而需提供替代的食物或饮料,则替代品仍须满足原定食品的基本营养要求。例如,如果原定的是牛奶,替代的饮品便应该具有同等含量的钙质和蛋白质。由于水、果汁或加钙的果汁不含蛋白质,因此它们都不可以替代牛奶,但植物性的奶品如豆浆则可。在给"替代的食物"打分时,若要了解更多的资讯,可以询问教师:"如何提供替代品取代对儿童不适宜的食物或饮料?"

5.1　"大部分"的意思是指在进餐或集体吃点心时,教师跟儿童坐在一起的情形比不坐在一起的情形要多。虽然教师可能需要离开餐桌去帮忙,但她们大部分时间应该和孩子坐在一起。此处并不要求每张餐桌都有一位教师。一些教师可能和儿童坐在一起,而另一些则可能为儿童分配食物。

问题:

1.5、3.5、5.4　如果儿童有食物过敏或特殊的家庭饮食禁忌,你会怎么做?

不足		最低标准		良好		优良
1	2	3	4	5	6	7

项目(11):午睡/休息*

1.1 午睡/休息的时间不适合大部分儿童。*

1.2 午睡/休息的用具不卫生(如地方拥挤、床单肮脏、不同的儿童用同一床被褥)。*

1.3 很少监管,或监管很严厉。

3.1 午睡/休息时间适合大部分儿童(例如:大部分儿童都在睡觉)。

3.2 午睡/休息的用具干净卫生(例如:地方不拥挤、被褥干净)。*

3.3 在午睡/休息时间内,房间有适当的监管。*

3.4 采取平和的、非惩罚性的监管方式。

5.1 帮助儿童放松(例如:提供可怀抱的玩具、轻柔的音乐,给儿童揉背)。

5.2 环境有助休息(例如:昏暗的灯光,安静,儿童床安排得宜,保护隐私)。

5.3 所有的儿童床或床垫相距至少 3 英尺 (0.91 米)或用实物分隔。*

7.1 午睡/休息时间灵活,可以满足个别儿童的需求(例如:游戏时玩累了的儿童可以有地方休息)。

7.2 提前起床或不需要午睡的儿童得到照顾(例如:允许提前起床的儿童看书或安静地游戏,为不需要午睡的儿童另外提供空间和活动)。*

* 注释：

项目(11)：4 小时或以下的课程如果不设午睡或休息,评"不适用"。对于时间较长的课程,午睡/休息的时间应根据儿童的年龄及个别需要而定。

1.1　时间"不适合"是指午睡/休息的时间太早或太晚(例如儿童在午睡之前早已疲累或到时不愿睡觉)、任由儿童继续睡下去,或要他们躺在床上太久(超过 2.5 小时)。这样可能会影响他们在家的睡眠时间。

1.2、3.2、5.3　*Caring for Our Children* 第三版现在要求儿童床/床垫之间须相隔 3 英尺,结实的屏风或其他阻隔(比如儿童床的栏杆或玩具架)不可接受,因为它们必须由地面伸至天花板,以防止空气传播的污染由一个儿童传给另一个儿童,而且它们也会妨碍监察。如果至少 75% 的儿童床/床垫相隔起码 18 英寸(0.46 米),1.2 便应评"否"。除非每件睡眠设施之间最少相隔 18 英寸,否则 3.2 不能得分。5.3 则一律要求每个睡眠平面之间相隔 3 英尺(例如以屏风或架子作间隔)。

3.2　"不拥挤"是指儿童床/床垫之间如果没有实物间隔,那么相距至少要有 18 英寸。儿童的床铺必须分别放置,避免个人用品互相接触。为了方便对儿童床/床垫进行清洁消毒,它们必须以适合的布料铺盖。

3.3　"适当的监管"是指有足够的教师在场,以确保一旦发生紧急事故儿童的安全获得保障,此外醒来或需要帮助的儿童也可得到照顾。房间内至少要有一名警觉的教师。

7.2　如果儿童在自己的小床上可以开心地看书或安静地游戏,此项可以得分。

问题：

可否请你描述一下儿童的午睡或休息是如何安排的?

3.3　在这段时间如何监管儿童?

3.4、7.2　如果遇到儿童在休息时间之前已经累了、不能安顿下来或太早起床的情形,你会怎样做?

5.3　儿童床或床垫之间的距离有多少?

不足		最低标准		良好		优良
1	2	3	4	5	6	7

项目(12):如厕/换尿片 *

1.1 没有保持地方卫生,厕所或换尿片的地方不干净(例如:厕所或洗手盘不干净,换尿片的平台或便盆椅每次使用之后不消毒,厕所很少冲洗)。*

1.2 缺少基本物资,妨碍儿童照料工作(例如:没有厕纸或肥皂,很多儿童共用一条毛巾,厕所没有自来水)。*

1.3 教师和儿童在如厕后或换尿片后常常不洗手。*

1.4 对儿童的监管不足或令人不愉快。*

3.1 地方的卫生状况保持良好。*

3.2 提供了儿童照料的基本物资。

3.3 如厕后教师和儿童通常洗手。*

3.4 如厕时间的安排符合儿童的个别需要。

3.5 就儿童的年龄和能力来说监管足够。*

5.1 容易保持地方卫生(例如:不使用便盆椅,换尿片的平台旁边及厕所有温暖的自来水,设施的表面容易清洁)。*

5.2 班里的儿童可以轻易地使用物资(如有需要,洗手盘或厕所附近设台阶、供残障儿童使用的扶手,厕所邻近课室)。

5.3 愉快的师幼互动。

7.1 提供儿童厕所和低矮的洗手盆。*

7.2 当儿童条件成熟时,鼓励他们发展自理能力。

*注释：

项目(12)：关于更换儿童的尿片、其他用完即弃的内衣或污秽衣物的资料，参看 2011 年版的 *Caring for Our Children* 第 108—109 页。

在最新的第三版 *Caring for Our Children* 第 106—108 页中，受评估的换尿片程序有所更改。首先，由小孩肩膀以至脚部以外的垫纸必须不吸水。换尿片的平台必须消毒，但只要平台铺纸而且没有明显的污秽，便不必事先清洗。如果平台不铺纸，便须清洗表面（可用 wipe，即带洁剂的湿纸巾），然后消毒，不管上面有无明显的污秽。评分时应以此作为正确的做法。第二，清洁小孩时，脏尿片应留在小孩下面，之后应把尿片折叠包起，适当地弃置。有关最新的换尿片程序，请参看 *Caring for Our Children*，或于 www. ersi. info 网页寻找新的资讯。

就去除细菌的功能来说，"清洁"（cleaning）、"洁净"（sanitizing）及"消毒"（disinfecting）有相关之处，但也有差别。为了加以区分，*Caring for Our Children* 一书指出，清洁是指借肥皂、水及摩擦去除实体的污垢及污染物，从而使任何残留的细菌暴露于干爽清洁的表面。洁净是指将一件静物的表面或一个物体上的细菌减少至安全的水平。消毒则表示将一件静物的表面或一个物体上的细菌毁灭。处理接触食物的表面或任何放入口中的物品时应使用洁净剂。消毒剂应该只用于换尿片平台、厕所、柜台、门及橱柜的把手。唯有美国国家环境保护局（EPA）批准的产品才可接受，而且所有洁净剂及消毒剂必须按照容器上的说明使用，以策安全。

Caring for Our Children 就使用稀释漂白水进行洁净及消毒发出新的指引，因为许多著名品牌的公司改变了它们的漂白水，所以各品牌的漂白水已不一致。新的指引建议大家只采用已向 EPA 注册的产品来洁净及消毒，于稀释漂白水及决定漂白水的接触时间时遵照制造商的说明。

1.1、3.1　如果儿童或成人使用同一个洗手盆来更换尿片、如厕后清洗、进行与食物有关的日常活动（包括刷牙）或处理其他事宜（如清洁玩具或教室内的器材、揩鼻子后洗手），那么在更换尿片/如厕之后必须以漂白水喷洒洗手盆及水龙头，进行消毒。一个例外是，为了避免儿童在如厕和进餐之间频频洗手，可采取以下做法：如果儿童上了厕所、洗过手，然后马上坐下来吃正餐/点心，应让儿童/成人用纸巾来关闭水龙头，借以减少洗手盆污染儿童双手的机会。如果观察期间发现没有大问题或只有两三个小问题，指标 1.1 可以评"否"（更多有关卫生方面的资讯，包括如何正确地更换尿片，请参考 *All About the ECERS-R* 第 111—114 页）。

美国国家环境保护局（EPA）批准的另一"消毒剂"（不是洁净剂）可代替常用的稀释漂白水。检查原装容器的标签，寻找"EPA 消毒剂"的注明。须肯定所有用法指示已经遵守，否则消毒表面不能得分。适当的话，使用替代消毒剂的安全问题（例如须冲洗残留物而没有照做，或没有把消毒剂置于儿童接触不到的地方）应于项目中的监管指标下加以考虑，或于安全及一般监管的项目中作出评估。

1.2　如果需要进行特殊的程序，如帮助年龄稍长儿童或带有导管的儿童更换尿片，工作必须做得干净卫生，并且能够维护儿童的尊严。

1.3、3.3　观察期间看到的洗手情形可视为一天中典型的洗手状况。给指标 1.3 和 3.3 打分时应根据观察到的实际情况。成人即使戴了手套也要洗手。请参看第 21 页"量表术语解释"中"洗手及净手剂的使用"。

1.4 监管"不足"是指教师没有为了保障儿童的安全或确保卫生程序的完成(如洗手)而作出监管。

3.1 观察期间如果发现没有大的问题或只有一个小问题,评"是"。

3.3 如果75%的儿童以及75%的教师都洗了手,评"是"。

3.5 "足够"的监管是指教师通过检查,确保厕所保持卫生(如厕所冲洗过,有厕纸、纸手巾和肥皂)、儿童按正确的方式如厕(如方便后正确地揩擦干净、正确地洗手、没有不恰当的行为)。

5.1 便盆椅有害儿童健康,所以最好不用。如遇到罕有的情况,因特别需要而必须使用便盆椅,则便盘应只限该名有特别需要的儿童使用,而且每次用后必须清洁消毒,这项指标才可得分。

7.1 儿童洗手盆和马桶要比常规设施的尺寸小和矮很多,儿童不需要调整马桶座圈和台阶之类就可以方便舒服地使用。如果班上75%以上的儿童不需要作任何调整(如使用台阶)就可以使用厕所和洗手盘的话,指标7.1就可得分。

不足		最低标准		良好		优良
1	2	3	4	5	6	7

项目(13):卫生措施 *

1.1 教师一般没有采取措施减低细菌的传播(例如:室内或户外游戏区有动物粪便的痕迹,鼻子不擦干净,纸巾没有好好弃置)。*

1.2 室内或户外照料儿童的地方允许吸烟。

3.1 教师和儿童在揩过鼻子、接触过动物或因别的原因弄脏手后都彻底洗手。*

3.2 教师经常采取行动减低细菌的传播。*

3.3 室内或户外照料儿童的地方不许吸烟。

3.4 采取措施减低传染病的传播(例如:确保儿童接受预防注射,隔离有传染病的儿童,教师每两年做一次肺病检查)。*

5.1 儿童在室内和户外穿戴适宜,配合天气(例如:天时凉换下潮湿的衣服、天冷穿保暖的衣服)。

5.2 教师是良好卫生习惯的榜样(例如:在儿童面前只吃健康的食物,检查儿童厕所及用水冲洗里面的马桶)。

5.3 注意儿童的外表(例如:要洗脸,脏衣服要换掉,玩容易弄脏的游戏时要系围裙)。

7.1 教导儿童独立管理个人卫生(例如:教导儿童正确的洗手方法,自己穿衣服或系围裙,提醒儿童要冲马桶,使用有关健康的图书、图片和游戏)。

7.2 个人牙刷贴上合适的标签及放好,在全日制课程中每天至少使用一次(例如:把牙刷独立放置,避免互相接触,并且让它们自然风干)。*
可评"不适用"

项目(13)：本项目不包括第10项"正餐/点心"、第11项"午睡/休息"以及第12项"如厕/换尿片"中所涉及的卫生程序。

1.1、3.1　参看第21页"量表术语解释"中"洗手及净手剂的使用"。

1.1　被血液或其他体液如呕吐物、粪便、鼻涕等沾染过的地方必须清洁并消毒，以防传染。处理血液时应该戴上手套。

3.1　"彻底洗手"指双手用肥皂及流水彻底清洗，然后以非共用的毛巾擦干或用吹风机吹干。进餐时及如厕后洗手已在其他指标中作出了评量，因此这里只考察其他一切必须洗手的情况。如果必须洗手的情况中有75%达到要求，那么指标3.1便可得分。有时擦手纸也可使用，比如在游戏场上揩完鼻子后擦手，但是这不算是洗手。

　　给这指标打分时，必须追踪四种洗手情况：

　　1)抵达校园或户外活动后进入教室，2)玩水前后或玩过容易弄脏手的游戏之后，3)处理过体液如呕吐物、粪便、鼻涕、血液等之后，4)接触过受污染的物体(如垃圾箱的盖子或宠物)之后。为了打分，观察员必须知道观察对象什么时候应该洗手。故此观察员既要细看，又要细听。比如要听听儿童和教师有没有咳嗽和打喷嚏，或者看看有没有人需要揩鼻子，然后再留意正确的洗手方法是否为人所依循。

　　洗手的次数应该记录在评分表上，显示依要求正确洗手及不洗手的情况各有多少次(关于洗手跟踪体系的实例，见 *All About the ECERS-R* 第125页)。

　　教师和儿童的洗手率应分别计算，但75%这百分比应以四种洗手情况的总次数作为基本。如果教师或儿童任何一组的洗手次数低于75%，则指标3.1应评"否"。

3.2　这项指标的实例包括：需要时可取用纸巾、两个儿童不共用一条毛巾、备有肥皂待用、牙刷放置妥当，防止污染。"经常采取行动"是指75%的上课时间。但是，如果出现大问题，比如溅泻的体液(如呕吐物、粪便、鼻涕、血液等)没有适当地加以清洁，或儿童游戏的地方有动物污染物的痕迹，则指标3.2应评"否"。

3.4　如果采取这里列出的步骤以减低传染病的传播，这指标可得分。当然，不需做到所有列举的例子才能评"是"。

7.2　如果课程每天为时6小时或以下，评"不适用"。如果同一个洗手盆既用来刷牙又用来如厕善后而不加以消毒清洁，情况在第12项"如厕/换尿片"中进行评估。

问题：

3.4　一般性的问题如"你对儿童和教师在个人健康措施方面有什么要求？"通常已能够引出评分所需的资讯。如果不能，可提出更多具体问题，如：你如何确保儿童具备必要的免疫能力？你在隔离有传染病的儿童时遵循哪些原则？请加以描述。教师需要接受肺病检查吗？多久检查一次？

7.2　是儿童刷牙吗？如何处理？(要求看一下牙刷)

不足		最低标准		良好		优良
1	2	3	4	5	6	7

项目(14):安全措施

1.1 室内存在危险因素,可能会导致严重的损伤。*

1.2 户外存在危险因素,可能会导致严重的损伤。*

1.3 对儿童在室内或户外的安全监管不足(例如:教师人数太少,教师忙于其他工作;危险的地方附近没人监管;没有入园和离园程序)。*

3.1 室内和户外都没有太大的危险。*

3.2 足够监管以确保儿童在室内和户外安全。

3.3 具备处理紧急事故的基本必需设施(例如:电话、急救电话号码、代课教师、急救药箱、交通工具、书面的紧急事故应对程序)。

5.1 教师预期会有可能出现安全问题,并采取预防措施(例如:移走攀爬设备下的玩具,将危险的地方上锁防止儿童进入,抹干水渍避免儿童滑倒)。

5.2 教师向儿童解释为什么要制定安全规则。*

7.1 游戏场地经过安排,防止发生安全问题(例如:年龄较小的儿童在别的场地或时间玩耍,户外游戏器材的尺寸和难度适合儿童)。

7.2 儿童大体上遵守安全规则(例如:滑梯上不拥挤,没有人爬书架)。

* 注释：

1.1、1.2、3.1　以下列举的主要安全问题并不代表所有可能出现的危险。注意要在评分表上记下所有安全问题。

一些室内的安全问题：

——电源插座上没有安全盖

——电线松脱

——有儿童可能拉下来的重物或家具

——没锁好药品、洗洁剂以及贴有"儿童勿近"标签的物品

——儿童可以碰到炉子上的锅柄

——儿童可以碰到炉子上的控制开关

——水温太高

——易滑动的地毯或垫子

——烫热的炉子或使用中的壁炉不设防

——通向楼梯井的门开着

——游戏区就在门前

一些户外的安全问题：

——儿童可以拿到成人的工具

——任何贴有"儿童勿近"标签的物品没有锁好

——有尖锐或危险的物体

——过道或楼梯不安全

——容易走到外面的街道上

——可以接触到危险的垃圾

——游戏器材太高、保养不善或不固定

——游戏器材可能会卡住儿童，或因为有夹手或凸出的地方构成

危险

1.1　如果观察员在儿童使用的室内空间发现两个或以上的安全大问题或五个以上的小问题（例如：地毯边缘松散、架子上有木刺、漂白水放在儿童可以拿到的地方），评"是"。用来清洁物品表面的稀释漂白水不必上锁，但应放在儿童接触不到的地方。不应在儿童呼吸到的地方喷洒漂白水，例如当儿童坐在桌子旁边的时候。在容许儿童游戏的地方，一切电源插座或电线都必须安全（如电源插座加盖、电线牢固）。如果机构采用特殊的安全插座，应询问教师或主任如何操作以保障儿童安全，并应进行检查，确保人员正确执行操作规则。可以接受户外插座装上翻开的盖子，但盖子必须在不使用时保持关闭。

1.2　如果观察员在户外场地上看到两个或更多的安全大问题，或六个或以上的小问题（如不会绊倒儿童的树根、小水洼，或者通道上有沙子），可评"是"。

1.3　如果这个指标评为"是"，那么项目29和项目30（监管）可能也得1分。必须注意，如果这指标评为"是"，那么室内和户外的监管应该都是不足够的。

3.1　观察到的安全小问题必须不超过五个，才可得分。

5.2　必须观察到教师讨论或解释安全规则，才可得分。

问题：

5.2　你跟儿童讨论安全问题吗？你们讨论些什么安全问题？

语言—推理

不足		最低标准		良好		优良
1	2	3	4	5	6	7

项目(15):图书和图片

1.1 可取用的儿童图书很少。*

1.2 教师很少为儿童朗读图书(例如:没有每日故事时间,很少给个别儿童朗读图书)。*

3.1 可取用一些儿童图书(例如:自由游戏时有足够数量的图书供应,以免纷争)。*

3.2 每天至少有一次教师主导的儿童聆听活动(例如:为儿童朗读图书,讲故事,用绒板讲故事)。*

5.1 一天中有相当多的时间儿童可以取用多种多样的图书。*

5.2 每天采用额外的语言材料。*

5.3 阅读角的图书安排有序。

5.4 图书、语言材料和活动都适合班里的儿童。*

5.5 教师非正式地为儿童朗读图书(例如:在自由游戏、午睡等时间,作为一项活动的延伸)。*

7.1 经常更换图书和语言材料以保持儿童的兴趣。

7.2 有些图书与班上正在开展的活动或主题相关(例如:开展季节性主题时从图书馆借来图书)。*

* 注释：

1.1 如果儿童可取用的完整无缺的图书不超过五本,或者在 8 小时或以上的全日制课程中,他们可取用图书的时间不超过 1 小时,评"是"(较短的课程依比例计算时数,请参看第 20 页"量表术语解释"中的图表)。

1.2 如果除特殊情况外,教师没有每天至少为儿童朗读一次图书,评"是"。

3.1 "一些图书"的意思是:参与活动的半数儿童至少可以人手一书(例如:20 名儿童的小组要有 10 本书)。每天 8 小时或以上的课程至少要有 1 小时让儿童可以取用图书,才可得分。较短的课程依比例计算时数(请参看第 20 页"量表术语解释"中的图表)。

3.2 朗读可以是小组或全班活动,视参与儿童的兴趣和能力而定。

5.1 可取用的图书不必全部都放在图书角,观察员也要到其他活动区去找找。图书应有多样性,包括各种题材:幻想、知识、人物、动物和自然/科学故事,反映不同文化和学习能力的图书。一个多达 15 人的小组,至少要有 20 本书。如果超过这个人数,则每名超额的儿童至少要另有 1 本书,指标才可得分。每个题材大致要有 3 到 4 种图书,但是这个标准较有弹性。每个题材的图书数量可有增减,但是每个题材都必须有相应的图书(更多资讯请参看 *All About the ECERS‐R* 第 149—152 页)。

5.2 "额外的语言材料"指海报和图片、绒板故事、图卡游戏以及录音的故事和歌曲。每天 8 小时或以上的课程至少要有 1 小时让儿童可以取用这些材料,才可得分。较短的课程依比例计算时数(请参看第 20 页"量表术语解释"中的图表)。

5.4 "适合"的活动和材料可以是给幼小儿童朗读的简单图书、为视障儿童提供的大字本印刷材料、以儿童的母语写成的图书,以及为年龄稍长幼儿提供的押韵游戏。如果儿童可以接触到任何以形象或恐怖的手法描写暴力或歌颂暴力的图书,便不能得分。只须考察儿童可以接触到的图书和图片。不必检查明显地非为儿童而设的图书或图片,例如用来开展艺术活动的成堆的旧杂志,或者放置在教师区的非供儿童使用的材料。

5.5 至少要观察到一次非正式的朗读,才可给分(非正式朗读的例子见 *All About the ECERS‐R* 第 154—155 页)。

7.2 如果有三本或以上的图书与上个月开展的主题相关,评"是"。如果主题从不更换,则不能给分。

问题：

7.1 有没有给孩子提供其他图书? 如何处理?

7.2 你是如何选择图书的?

不足		最低标准		良好		优良
1	2	3	4	5	6	7

项目(16):鼓励儿童交流*

1.1 教师没有任何鼓励儿童交流的活动(例如:不谈论绘画,没有口述故事,不在集体活动时分享想法,不玩手指游戏,不唱歌)。

1.2 可拿来鼓励儿童交流的材料很少。*

3.1 教师利用一些活动鼓励儿童交流。*

3.2 有一些可以拿来鼓励儿童交流的材料。*

3.3 交流活动对班里儿童来说大体上适宜。*

5.1 在自由游戏和集体活动时间都有交流活动(例如:儿童口述关于绘画的故事,小组讨论,参观商店)。

5.2 多个兴趣区都有可以拿来鼓励儿童交流的材料(例如:积木角有塑胶小人物和小动物玩具,图书角有玩偶和绒板,有供户外或室内角色游戏用的玩具)。

7.1 在交流活动中,教师适当地平衡听和说的比例,以配合儿童的年龄和能力(例如:留有一定的时间让儿童回应,帮助沟通技巧不足的儿童用语言来表达)。

7.2 教师将儿童的口语交流和书面语言结合(例如:将儿童口述的内容书写下来,然后再读给儿童听;帮助儿童给父母写便条)。*

*注释：

项目(16)：对于不同年龄和能力水平的儿童，或其母语与基本教学语言
　　　　不同的孩子，老师需以不同的方法去鼓励他们交流。必须为操另
　　　　一种母语或需要另类沟通方式(如手语、辅助沟通工具)的儿童提
　　　　供合适的活动。

1.2　可拿来鼓励儿童用语言来表达的材料包括玩具电话、木偶、绒板
　　　故事、娃娃和角色游戏的道具、塑胶小人物和小动物、为残障儿童
　　　而设的沟通板(communication board)和其他辅助工具。如果没有
　　　可用来鼓励儿童交流的材料，或者这些材料只供应很短的时间，
　　　以致儿童很少有机会使用它们的话，评"是"。

3.1　"利用一些活动鼓励儿童交流"是要求教师采取措施来引发儿童
　　　的交流。比如教师可以在自由游戏时间请儿童谈谈他/她正在做
　　　的事情，在围圈时间进行一些手指游戏、唱歌、背诵童谣或协助儿
　　　童讲故事，都算符合此项指标的要求。

3.2　8 小时或以上的课程必须有超过 1 小时的时间使用鼓励儿童交
　　　流的材料，才可得分。对于 8 小时或以下的课程，请参看第 20 页
　　　"量表术语解释"中的图表来决定要求的使用材料时数。

3.3　带有暴力、色情或文化偏见内容的歌曲、诗歌或歌谣都不合适。
　　　如看到这样的材料被采用，评"否"。

7.2　玩具架上图文结合的标签以及教室内其他物品上贴的标签都不
　　　能得分。同样，如果教师只是在儿童的作品上写上儿童的姓名，
　　　即使教师喊出儿童的名字，这一项也不能得分(联系口语与书面
　　　语的例子，请看 *All About the ECERS - R* 第 165—167 页)。

问题：

7.2　你有没有帮助儿童明白到他们说的话可以写下来，而且可以让别
　　　人阅读？请举例。

不足		最低标准		良好		优良
1	2	3	4	5	6	7

项目(17):运用语言发展推理技能

1.1 教师不与儿童讨论逻辑关系(例如:不理会儿童的好奇心和事情为何发生的提问;不引导儿童注意每天行事的顺序,数字、大小、形状的异同,以及因果关系)。

1.2 不适当地向儿童介绍概念(例如:概念太难,不适合儿童的年龄和能力水平;使用不恰当的教学方法,如在儿童缺乏具体经验的情况下使用工作纸;教师直接提供答案,没有帮助儿童理解问题)。*

3.1 教师有时谈到逻辑关系或概念(例如:解释用点心之后是户外活动时间,指出儿童玩的积木的大小区别)。*

3.2 通过语言和具体经验,向全班儿童介绍一些适合他们年龄和能力水平的概念(例如:用问题和词语引导儿童将积木按大小分类,或找出冰块融化的原因)。*

5.1 当儿童以一些能引发推理的材料玩游戏时,教师跟他们讨论逻辑关系(例如:接龙卡、找同异的游戏、关于大小的玩具、分类游戏、数字和数学游戏)。*

5.2 儿童解决问题时,教师鼓励他们讲述或解释他们的理据(例如:为什么将东西分成不同类别,两张图片有哪些异同)。*

7.1 教师一天中不断鼓励儿童推理,利用真实的事件和经历作为发展概念的基础(例如:儿童通过谈论自己每天生活环节的经验,或者回忆一次烹饪活动的过程,来学习顺序的概念)。*

7.2 因应儿童的兴趣或解决问题的需要介绍概念(例如:在使用积木搭建一座高楼的过程中跟儿童讨论平衡的问题,在布置餐桌时帮助儿童计算需要多少支汤匙)。*

*注释：

1.2 这些概念包括同异、匹配、分类、排序、一一对应、空间关系和因果
关系。

3.1 "教师有时谈到逻辑关系或概念"的意思是,在观察过程中,教师
至少有两次谈到逻辑概念。

3.2 如果在观察过程中看到至少两个事例,评"是"。

5.1 至少要观察到一个例子。

5.2 至少要观察到两个例子。

7.1 至少要观察到两个事例,是与儿童使用鼓励推理的游戏材料无关
的,才可给分。

7.2 至少要观察到两个例子。

不足		最低标准		良好		优良
1	2	3	4	5	6	7

项目(18):语言的非正式运用*

1.1 教师只是用语言来控制儿童的行为和管理日常活动。

1.2 教师很少回应儿童的说话。

1.3 一天中有大部分时间不鼓励儿童说话。

3.1 教师儿童之间有一些对话(例如:提问一些可以用"是"、"否"或简短答案作回复的问题,简短地回复儿童的提问)。*

3.2 一天中有大部分时间允许儿童说话。

5.1 在自由游戏和常规活动时,教师与儿童有很多对话。

5.2 教师运用语言主要是与儿童交流资讯和进行社交互动。*

5.3 教师提供资讯以延伸儿童的想法。*

5.4 教师鼓励儿童之间的交流,包括与残障儿童的交流(例如:提醒儿童要互相聆听;如果班上有小朋友用手语,老师教导全班同学学习手语)。

7.1 教师与大部分儿童都有个别交流。*

7.2 向儿童提问,并鼓励他们以较长、较复杂的答案回复(例如:问小龄幼儿"是什么"或"在哪里"之类的问题;问年龄稍长幼儿"为什么"或"怎么样"之类的问题)。*

* 注释：

项目(18)：如果有多位教师教导一班儿童,应根据教师与儿童交流的整体效果作出评价。这一项指标旨在考察儿童对语言刺激的需要是否得到满足。

3.1 "对话"如要得分,则教师和儿童应该有互相聆听和交谈的情形,与发出指令之类的单向说话不同。对于口语能力较弱的儿童来说,回应时所用的可能不是语言,而是姿势、手语或者沟通工具。

5.2 要考察教师用语言来管理常规活动或控制儿童行为,以及用语言来交流资讯和进行社交互动这两者之间在数量上的关系。如果相当多的语言(75%)是用来作资讯交流和社交互动,而不是用来控制和管理,评"是"。

5.3 "延伸"是指教师作出口头回应,为儿童讲述的内容添加资讯。例如,儿童说:"快看这辆汽车!"教师回应说:"这是一辆红色的自动卸货的货车。看,它有一个可以装载东西的地方!"注意观察教师对儿童感兴趣的事情作出回应时是否使用许多言语。当一个儿童的口头语言能力有限,用手指向某样东西时,如果教师仅仅说出该东西的名称,便不能得分。如果除了名称之外,教师还提供了其他资讯(如颜色及其他属性、用途等),则可以得分。如果教师发起一个话题,而且在儿童回答的基础上添加资讯,可以给分。在观察过程中,至少要看到两个延伸的事例。

7.1、7.2 给这两个指标打分时,要观察到几个例子。

活动

不足		最低标准		良好		优良
1	2	3	4	5	6	7

项目(19):小肌肉活动

1.1 适合儿童发展小肌肉的日常材料非常少。

1.2 小肌肉活动材料一般缺乏维修或不完整(例如:拼图不全,插孔棋游戏的棋子数量很少)。*

3.1 有一些适合儿童发展小肌肉的各类材料。*

3.2 大多数的材料都维修良好而且齐全。*

5.1 有许多适合儿童发展小肌肉的各类材料,儿童在一天中有相当多的时间可以取用。*

5.2 材料安排有序(例如:插孔棋和插孔板放在一起,每套搭建玩具分开放置)。

5.3 提供不同难度的材料(例如:有一般的拼图和装了手柄的拼图供小肌肉技能程度不同的儿童使用)。

7.1 材料不断循环更新以维持儿童的兴趣(例如:拿走儿童不再感兴趣的材料,引入别的材料)。

7.2 储物箱和儿童用的储物架都有标签以鼓励儿童自理(例如:在储物箱和储物架上粘贴图片或形状标签,给年龄稍长幼儿加上文字标签)。*

* 注释：

1.2 "一般缺乏维修或不完整"是指由于有的部分丢失、损坏或其他问题，以致80%的材料不能正常使用。

3.1 适合儿童发展小肌肉的几类材料包括:诸如镶嵌积木和林肯木条(Lincoln logs)等**小型搭建玩具**,蜡笔和剪刀等**美劳材料**,不同大小的串珠、插孔棋和插孔板、缝纫卡(sewing cards)等**操作性材料**,以及**拼图游戏**。"一些"是指四类各有一种以上的材料供儿童使用。8小时的课程每天要能使用1小时,8小时以下的课程依比例分配时间(要求的时数见第20页"量表术语解释")。各类材料的样例必须完整及状况良好,能够发挥它们原定的用途,才能得分。蜡笔和画纸是美劳材料的一个样例;一幅完整不缺的拼图是拼图游戏的一个样例,一套串珠连绳子是操作材料的一个样例(关于四类小肌肉活动材料的更详细资讯,请参看 *All About the ECERS‑R* 第189页和190页)。

3.2 "大多数"是指80%的小肌肉活动材料。

5.1 "许多"是指一天中有相当多的时间儿童可以取用每类材料的至少三个品种。每类材料不必同时提供多个品种,但一天中必须有相当多的时间为儿童提供多种材料的组合,保证他们有较多的选择。

7.2 几乎所有储物架和储物箱都必须贴有儿童能理解的标签,才能得分。

问题：

5.1 儿童有哪些操作性材料及其他小肌肉活动材料可用？

7.1 你给儿童提供其他小肌肉活动材料吗？你是如何处理的？

不足		最低标准		良好		优良
1	2	3	4	5	6	7

项目(20):美术*

1.1 很少给儿童提供美术活动。*

1.2 美术活动缺乏自我表达(例如:填色;活动由教师主导,要求儿童依样照抄)。*

3.1 儿童每天至少有1小时可以取用一些美术材料。*

3.2 儿童可以运用美术材料作一点自我表达(例如:允许儿童用自己的方式装饰预先剪好的形状;除教师主导的活动外,儿童可以从事一些个性化的美术活动)。*

5.1 一天中有相当多的时间儿童可以取用许多各式各样的美术材料。*

5.2 在美术材料的使用中,个性得以充分发挥(例如:很少有模仿范例的活动,儿童的作品呈多样性和个性化)。*

7.1 至少每个月都提供立体美术材料(如黏土、木料黏贴、木工)。

7.2 把一些美术活动联系到其他课堂经验(例如:学习季节主题时使用秋天的色彩绘画,让儿童在校外活动后绘画)。

7.3 设法让4岁或以上的儿童把美术活动延伸至几天(例如:作品可以存放起来,以后继续;鼓励需要多个步骤才能完成的项目)。
可评"不适用"

* 注释:

项目(20):美术材料的类别有:纸、蜡笔、无毒水彩笔、粗铅笔等**绘画材料,绘画颜料**,胶泥、黏土、木料黏贴、木工等**立体材料,拼贴材料**,安全剪刀、订书机、打孔器、胶纸等**工具**。圆点笔(dot marker)算是美术材料的"工具"类。使用起来,它们的可操控性不如"绘画"类材料,也不适合归入颜料的类别。

1.1 "很少提供"是指使用美术材料的频率低于每天一次,或者即使每天提供材料,但并非所有儿童都有机会能随意愿参与活动;又或者是活动的时间太短,儿童觉得不满足。

1.2、3.2 "自我表达"是指每个儿童都可以选择题材及/或物料,并依他或她自己的方式开展活动。由于不要求儿童模仿范例,或给他们限定主题,故儿童创造出很多互不相同的作品,这就是"自我表达"。

3.1 如小组成员包括3岁以下或有某种发展迟缓的儿童,只要儿童有兴趣,教师可以拿出材料,让他们在密切的监督下每天取用。美术材料可能需要加以改造,使残障儿童也能使用。"一些"是指至少提供一种美术材料(如蜡笔和纸),让儿童可以用来完成作品。每天8小时的课程至少要有1小时让儿童可以使用美术材料。8小时以下的课程按比例分配时间(见第20页"量表术语解释"中的图表)。

5.1 "许多各式各样的"是要求一天中有相当多的时间让儿童可以取用3—5种选自至少四类的美术材料,而四类之中必须包括绘画材料。四类材料不必同时供应,只要每类材料在一天中有相当多的时间可供使用即可(关于材料类别的更多资讯,请看 *All About the ECERS-R* 第200页)。食品不算是美术材料。

5.2 "个性得以充分发挥"是指儿童使用美术材料的过程中,有85%

的时间可以不须依照范例,自由创作。观察时留意儿童是否可以使用美术材料,而且是否真正以自己的方式使用它们。你也可以看看房间里陈列的美劳作品,如果发现陈列品中有许多教师主导的项目,而观察期间很少看到发挥个性的活动,这指标便不能得分。如果你不太确定,可问一下教师:这类展示的项目多久会做一次?如果满足3.2要求的活动每周只有一次或两次,但你观察到许多例子,显示儿童以他们自己富创意的方式使用美术材料,那么,即使大多数陈列作品都属教师主导的"项目",5.2仍可得分(关于3级及5级水平对个性要求的讨论,请看 *All About the ECERS-R* 第201—204页)。

问题:

5.2 你怎样选择用来贴壁报的作品?

7.1 你采用过诸如黏土、木料黏贴这类立体美术材料吗?如果用过,多久用一次?

7.2 你是怎样决定给儿童提供什么美术活动的?

7.3 你给儿童提供过为时数天的美术活动吗?请举几个例子。

不足		最低标准		良好		优良
1	2	3	4	5	6	7

项目(21):音乐/律动

1.1 儿童没有音乐/律动的经验。

1.2 一天有大部分时间播放大声的音乐,对正在进行的活动构成干扰(例如:不断的背景音乐令人很难用正常的声调谈话,音乐提高了噪音的水平)。

3.1 儿童可以取用一些音乐材料(如简单的乐器、音乐玩具、附录音带的播放机)。*

3.2 教师每天至少带领一次音乐活动(例如:和儿童一起唱歌,午睡时播放轻柔的音乐,播放音乐来跳舞)。

3.3 每周至少有一些律动/舞蹈活动(例如:伴随音乐步操或做律动;配合歌曲或儿歌做动作;给儿童围巾,鼓励他们伴随音乐跳舞)。

5.1 儿童可以取用许多音乐材料(如音乐角配备乐器、录音带播放机、舞蹈道具、为残障儿童而设的改装设施)。*

5.2 为儿童提供各种类型的音乐(如古典音乐和流行音乐、不同文化特色的音乐、一些以不同语言演唱的歌曲)。*

7.1 每天既有自由选择的音乐,也有用来开展集体活动的音乐。

7.2 偶尔提供一些扩展儿童音乐理解的音乐活动(例如:邀请嘉宾演奏乐器,儿童自制乐器,教师设计活动帮助儿童聆听不同的音调)。*

7.3 借音乐活动鼓励儿童创新(例如:要求儿童给歌曲填新词,鼓励个性化的舞蹈)。

*注释：

3.1 "一些"是指在每天 8 小时的课程中，儿童至少有 1 小时可以使用一种以上的音乐材料。为时较短的课程按比例缩短使用时间（具体要求时数见第 20 页"量表术语解释"）。材料不需要同时供应。

5.1 "许多"是指乐器的数量至少可供半数儿童同时使用，另外还有一些供聆听的音乐，像附有录音带的播放机，或存有大量音乐的电脑程式（包括完整的歌曲和音乐选段）。如果提供的只是类似电脑游戏中那些非常简短的乐音，就不能得分。舞蹈道具一定要伴随着产生音乐的东西，如录制的音乐、儿童或成人创造的音乐。对年龄稍长幼儿的班级（大多数儿童在 4 岁以上）来说，儿童要能独立地播放录音带、播放机才算是他们可以取用的。至于小龄幼儿，他们可能需要教师的帮助。

　　如要满足"许多"这条件，8 小时或以上的课程每天至少要有 1 小时让儿童可以使用音乐材料。8 小时以下的课程要求的时间较短，实际时数可按 1：8 的比例计算（请参看第 20 页的"量表术语解释"）。

5.2 "各种类型的音乐"是指至少有三种不同的类型（音乐类型清单见 *All About the ECERS - R* 第 216 页）。

7.2 "偶尔"是指每年至少 3—4 次。

7.2 你开展特别的音乐活动吗？

7.3 儿童是否有机会以他们自己的方式开展音乐活动？

问题：

你跟儿童在一起时如何处理音乐？

3.2 你多久和儿童开展一次音乐活动？

3.3 儿童做律动或跳舞吗？这些活动多久进行一次？

5.2 你为儿童提供哪些类型的音乐？

不足		最低标准		良好		优良
1	2	3	4	5	6	7

项目(22):积木 *

1.1 很少积木供儿童玩耍。*

3.1 有足够多的积木和附属材料让至少两个儿童同时搭建独立的建筑。*

3.2 地板上有些空间供积木游戏使用。

3.3 积木和附属材料每天都可以取用。*

5.1 有足够的空间、积木和附属材料让3个或更多儿童同时进行搭建活动。*

5.2 积木和附属材料分类存放。*

5.3 在人流以外的地方划出专门的积木角,备有储存设施和适合搭建活动的平面(如平坦的地毯或其他稳固的平面)。*

5.4 积木角一天中有相当多的时间保持开放。*

7.1 每天至少有两种类型的积木和多种附属材料可供儿童使用(如大积木和小积木、自制品和制成品)。*

7.2 积木和附属材料存放在开放的、贴有标签的架上(例如以图片或者积木的轮廓作标签)。*

7.3 某些积木游戏可以在户外进行。

注释：

项目(22)：积木是能用来搭建相当大的结构物的材料。积木的类别有：**单元积木**(以木或塑胶制造,包括长方形、正方形、三角形、圆柱体等形状)；**大型空心积木**(以木、塑胶或纸板制造)；**自制积木**(如食品盒和塑胶盒等材料)。注意：镶嵌积木(无论是大型或小型的、室内还是户外用的)在这个项目中不算是积木,其评价见项目19"小肌肉活动"。积木角一般都在所观察的教室内,如果中心设有另外的积木角(如在多功能室或户外),而且经常向儿童开放的话,评分时便应加以考虑。

1.1 "很少积木"是指儿童没有积木可玩,或者积木数量不足以让两个儿童各自搭建一座不算太小的结构物。

3.1、3.3、5.1、5.2、7.1 这项目要求三类附属材料(交通工具、人物、动物),虽然也可为儿童提供其他类别。每一类下分小类,例如：动物类下可包括动物园和家畜等小类。3.1和3.3只要求一类。5.1要求两类。5.2要求这两类材料必须分开储存,虽然小类可以存放在一起(例如：所有动物放在一个容器内,所有人物放在另一容器内)。7.1要求至少要有三类的材料。

3.1 "足够多的积木"是指一类积木的数量足够用来搭建一座相当大的结构物。如果只是随机一堆积木,里面包括每种类型的积木少于10—20块,那就不能得分,因为它们难以用来搭成一样东西。积木角的"附属材料"必须放置在积木角内或其附近,使儿童清楚知道那些材料可以和积木一起使用,才能得分。附属材料丰富儿童的积木游戏,例子包括玩具人物、动物、车辆和路标等。如果附属材料不与积木放在一起,或没有放在积木的附近,就必须观察到儿童真的把这些材料用作积木的附件,才能得分。如果没有观察到这种情形,就不应给分。

3.3 每天8小时或以上的课程如要得分,至少要有1个小时让儿童能够取用积木和附属材料。8小时以下的课程要求的时间按比例缩短(请参看第20页"量表术语解释"中的说明)。

5.1 这指标要求足够数量的积木让3个儿童能各自搭建颇大的结构物。要留意积木游戏使用空间的情况,但对空间的面积没有具体要求。如果没有观察到儿童实际使用积木角的情况,就需根据积木角的大小和积木的类型,想象一下儿童会如何使用这个空间。同时也要考虑儿童的年龄和能力水平。

5.3 除正规积木外,积木角内可能还有其他种类的材料,如项目19"小肌肉活动"所考虑的小型镶嵌积木,但仍可视之为特别的积木角。一般来说,如果积木中混杂别的材料,例如其他小肌肉活动玩具、美术用品、角色游戏材料,或者木工工具等,对积木游戏构成干扰,就不能得分。但是,即使积木角中有几项安全帽或者几座小玩具房子,如果它们既不占空间也不干扰积木游戏,就可以得分。

5.4 在计算积木角一天中保持开放的具体时数时,经观察的所有积木角必须满足5.1至5.3的要求。另外的积木角可以位于户外,也可以在室内另一个地方。

7.2 在给积木储物架贴标签的时候,如果仅使用文字而没有积木的图像,就不能得分。

问题：

3.3 积木游戏多久进行一次？每次可以玩多久？

7.3 儿童在户外玩积木吗？

不足		最低标准		良好		优良
1	2	3	4	5	6	7

项目(23):沙/水 *

1.1 室内或户外都没有玩沙或玩水的设施。*	3.1 室内或户外有一些玩沙或玩水的设施。*	5.1 在室内或户外有玩沙和玩水的设施。	7.1 在室内和户外(如果天气许可)都可以玩沙/水游戏。*
1.2 没有沙/水游戏的玩具可用。	3.2 有一些沙/水游戏的玩具可以取用。	5.2 儿童可以使用多种玩具做沙/水游戏(如容器、汤匙、漏斗、勺子、铁铲、烧饭用具、做点心的印模、玩具人物、玩具动物和玩具汽车)。*	7.2 为儿童提供不同类型的沙/水活动(如在肥皂水里吹气泡;更换沙盘中的材料,例如用大米代替沙子)。
		5.3 儿童每天至少有1小时玩沙/水游戏。*	

＊注释：

项目(23)：容易倾倒的材料如大米、扁豆、雀粟和玉米粉等可以代替沙。
　　　　沙或沙的替代物必须分量充足，使儿童可以用来挖掘、装满容器
　　　　然后再把内容倒掉。如果没有刺的话，木屑也可用作沙的替代
　　　　物。关于沙、水和沙的替代物的卫生和安全问题，由项目 13 和
　　　　14 加以考虑。

1.1　"设施"要求教师采取行动，为沙和水的游戏提供合适的材料。让
　　　儿童在操场上的水洼玩水或挖掘泥土都不符合本项目的要求。

3.1　并非每个班都要有自己的沙盘和水盘。但如果沙盘和水盘是与
　　　其他班级共用，那么每个班都应能经常使用这些设施。沙和水的
　　　游戏不必每天都有，但应该是课程的常设部分，即每周至少进行
　　　两次，每次半小时。这样指标才可得分。

5.2　"多种"考虑的是儿童能使用的**玩具的差别**，主要表现为玩具的特
　　　征，如它们的用途、大小、透明度、形状、颜色之类的属性，但玩具
　　　的用途是决定评价的最主要因素。如果一种玩具却有多件（如多
　　　支汤匙），那就不符合"多种"的要求。各种玩具不需全部同时提
　　　供，可以定期轮流替换的方式进行。

　　　　　如果教师报告说会更换玩具，便应要求看看其他玩具，了解
　　　它们轮流更换的频率。如果儿童可以玩沙和水的游戏，那么有关
　　　的玩具都要反映多样性。但有可能同一批玩具既可以用来玩沙，
　　　也可以用来玩水，则评分可宽松一些。

　　　　　决定玩具是否"多种"时，也考虑游戏时儿童可取用的玩具有
　　　多少。在同一时间使用玩具的儿童越少，需要的玩具数量也就越
　　　少，只要玩具能够用作不同的用途，就已达到"多种"的要求。分
　　　享玩具的儿童越多，则需要不同类型的玩具也越多。

5.3　每天 8 小时以下的课程，请看第 20 页"量表术语解释"中的图表，
以决定要求的时间。

7.1　指标如要得分，室内和户外都必须各有玩沙和玩水的设施。如果
　　　一项设施（如沙盘/水盘）需依靠教师每天由室内搬到户外，那就
　　　不能得分，因为这样既给教师带来不便，而且也难以更新同一容
　　　器中的材料，使其既适合玩沙，也适合玩水。一物两用往往较为
　　　困难。

问题：

3.1　你给儿童提供沙和水来玩游戏吗？你是如何处理的？大约多久
　　　玩一次？这些游戏在哪里开展？

3.2　儿童玩沙或玩水时使用其他玩具吗？请你详细描述一下。

7.2　你会变换儿童玩沙和玩水的活动吗？

不足		最低标准		良好		优良
1	2	3	4	5	6	7

项目(24):角色游戏 *

1.1 没有可供儿童进行装扮游戏或角色游戏的材料或装备。

3.1 有一些角色游戏的材料和设备,儿童能够扮演一些家庭角色(如有道具服装、道具家庭用品、娃娃)。

3.2 每天至少有 1 小时可以使用这些材料。*

3.3 分开存放角色游戏的材料。

5.1 有许多可使用的角色游戏材料,包括道具服装。*

5.2 在一天中有相当多的时间可以使用这些材料。*

5.3 每天至少可使用两个不同主题的道具(如家务和工作)。*

5.4 角色游戏区明确划分,有游戏的空间和整齐地收纳物品的地方。*

7.1 提供的材料随主题变换(如道具箱的主题有工作、幻想和休闲)。

7.2 提供的道具表现多样性(如代表不同文化的道具、残障人士使用的设备)。*

7.3 提供道具让儿童可在户外开展动态的角色游戏。*

7.4 用图片、故事和校外活动来丰富角色游戏。

项目 (24)：角色游戏是一种装扮或假装的游戏。当儿童自己扮演角色，以及在娃娃屋把玩一些诸如小玩具人物的玩偶时，便是在进行这类游戏。因此，教导儿童按规定的程序来正确完成擦桌子或擦银器等家务活动，不能算是符合这项目的要求。儿童必须能随意自由地使用材料来进行自己的装扮游戏，这个项目才可得分。

　　鼓励表现各种主题的道具有助丰富角色游戏，例如**做家务**（如娃娃、儿童尺寸的家具、服装、厨房用具），**各类工作**（如办公室、建筑工地、农场、商店、消防、运输交通等），*幻想*（动物、恐龙、故事书人物），*休闲*（露营、体育运动）。

3.2　每天 8 小时或以上的课程至少要有 1 小时让儿童可以使用材料，才可得分。8 小时以下的课程要求的时间较短，时数按比例计算（要求的实际时数请看第 20 页的"量表术语解释"）。

5.1　"许多"角色游戏材料是指三个或以上的儿童能够同时使用材料，不必竞争，而且材料数量之多，足以鼓励儿童进行更复杂的游戏。道具服装是"许多"材料中必不可少的一部分，但并不要求提供多种服装。帽子、钱包、鞋子都算是道具服装。但是，由于学前期的儿童正在发展性别认同，需要给他们提供一些明显代表男性或女性的服饰样例。因此，需要提供两三种代表特定性别的道具服饰（如领带、安全帽或鞋子代表男性，钱包或插花的帽子代表女性）。也可提供较多诸如运动服或跑步鞋等通用的服装，但它们不算是特定性别的服装。

5.2　计算"一天中相当多的时间"的具体时数时，室内和户外的材料都要考虑。5.1 所要求的道具服装在户外角色游戏中可能会有危险，所以这里并不要求。然而，户外道具必须齐全，使有意义的装扮游戏可以开展。如一套户外的房子必须配有家具和其他道具，

婴儿车必须配有娃娃，厨房必须配有厨房用品，儿童汽车应该有气泵或可运载的东西，沙池中的汽车应该有玩具车库或人物。这指标若要评"是"，则指标 5.1 必须已经评"是"。

5.3　给这项目评分时，可考虑儿童在室内和户外都可以用来玩装扮活动的小玩具（如小娃娃、小卡车、小动物）。（有关角色游戏主题的进一步讨论，请看 *All About the ECERS‑R* 第 239—241 页。）

5.4　"整齐地收纳"是指同类的材料（如娃娃、服装、烹饪道具、道具食物）通常存放在一起（如放置在容器或家具中）。收纳不必丝毫不乱。

7.2　针对这个指标，可考虑表示不同种族、文化、年龄和能力的娃娃，还有代表不同文化的道具服装、食品和餐具。

7.3　这指标的宗旨是儿童要有足够大的空间来开展大活动量的、热闹的角色游戏而不致干扰其他活动。一个诸如体育馆或多功能室的大型室内空间可以替代户外场地。儿童可以使用结构性的玩具（如小房子、小汽车或小船），以及用来玩露营、烹饪、工作、运输等游戏的道具或道具服装。

问题：

7.1　儿童有没有其他角色游戏道具可以使用？请描述一下。

7.3　试过在户外或室内较大的场地使用角色游戏的道具吗？

7.4　你在扩展儿童的角色游戏方面做了什么？

项目(25):自然/科学 *

1.1 没有为儿童提供自然/科学的游戏、材料或活动。

3.1 儿童可利用一些来自两个类别的、切合他们发展阶段的自然/科学游戏、材料或活动。*

3.2 这些材料每天都可取用。*

3.3 鼓励儿童把自然物带来与其他小朋友分享或丰富学校的收藏(例如:收集操场上的落叶,带宠物到班上)。

5.1 儿童可利用许多来自三个类别的、切合他们发展阶段的自然/科学游戏、材料或活动。*

5.2 一天中有相当多的时间可取用这些材料。*

5.3 自然/科学材料摆放有序、状况良好(例如:收藏品以独立的容器存放,动物笼子清洁干净)。

5.4 以日常事件作为学习自然/科学的基础(例如:谈论天气,观察昆虫或雀鸟,讨论季节的变化,吹泡泡或在大风天放风筝,观察雪的融化与冰的凝结)。*

7.1 至少每两周有一次需要教师参与较多的自然/科学活动(例如:烹饪、测量雨量之类的简单实验,校外活动)。

7.2 使用图书、图片及/或视听材料增加儿童的知识及扩展他们的"手到"经验。

注释：

项目(25)：自然/科学材料主要有以下几类：**自然物收藏**(如岩石、昆虫、
  英果)；照料和观察用的**生物体**(如室内盆栽植物、园地、宠物)；**自
  然/科学图书、游戏或玩具**(如自然配对卡、自然接龙卡)和**自然/
  科学活动**，如烹饪和简单的实验(如磁铁、放大镜、沉浮等的实
  验)。"自然物收藏"要求有几组可以归类的物体，如贝壳、种子、
  树叶、松果等藏品。每项收藏应包括足够数量的物品，使儿童可
  以探索异同。收藏品必须是自然物，塑胶制的收藏品(如昆虫、动
  物园动物)算是自然/科学玩具。指标 5.2 所要求的收藏物必须
  一天中有相当多的时间可供儿童取用。

3.1 对广大的不同年龄不同能力的儿童来说，可让他们自行探索的开
  放式自然/科学材料，通常都是切合他们发展的。如果材料所要
  求的技巧超乎儿童的能力，或者对儿童缺乏挑战，便不是切合儿
  童发展的材料。例如让儿童画出温度计上红线的高度来辨别冷
  热，对年龄稍长幼儿而言可能是适合的，但对两岁的小龄幼儿来
  说却不然。

3.2 8 小时或以上的课程至少要有 1 小时让儿童可以使用材料。8 小
  时以下的课程须提供的材料使用时数按比例计算(请看第 20 页
  "量表术语解释")。

5.1 "许多"是指自然/科学材料包括三类，每类约有 3—5 个样例。但
  样例的数目可有增减，要能代表四类中的三类便成。有时某一类
  可能有 3—5 个以上的样例，而另一类却少于 3—5 个样例，仍可
  得分，但需视班上儿童的年龄和人数而定(关于自然/科学四类材
  料的具体描述，请看 *All About the ECERS-R* 第 253—256 页)。

5.2 计算一天中材料可供使用的实际时数时，室内和户外的材料都要
  考虑。指标 5.2 如要得分，便先要满足 5.1 的要求。如果"一天

中相当多的时间"包括户外的时间，那么在户外时段儿童至少要
能取用两类材料。

5.4 必须观察到一个案例或看到明显的证据(如相片、绘画)。(日常
  事件的例子请看 *All About the ECERS-R* 第 259—260 页)

问题：

3.3 儿童会把自然物或科学物品带回来与其他人分享吗？你如何处
  理这些事情？

7.1 除了我看到的这些，请你再举几个你跟儿童一起进行自然/科学
  活动的例子。这些活动多久进行一次？

7.2 你跟儿童一起时会使用自然/科学图书或视听材料吗？请描述
  一下。

不足		最低标准		良好		优良
1	2	3	4	5	6	7

项目(26):数学/数字 *

1.1 没有数学/数字材料可以取用。

1.2 数学/数字的教学主要是通过背诵或做工作纸的方式进行。*

3.1 有一些切合儿童发展阶段的数学/数字材料可以取用。*

3.2 材料每天都可取用。*

5.1 可以取用许多切合儿童发展阶段的各类材料(如用来数数、测量、学习形状与大小的材料)。*

5.2 这些材料一天中有相当多的时间可以使用。

5.3 材料摆放有序,而且状况良好(例如:分门别类存放,游戏所需的所有组件存放在一起)。*

5.4 每天有促进儿童学习数学/数字的活动(例如:帮忙摆餐桌,爬台阶时数梯级,用计时器轮流做事)。*

7.1 至少每两周提供一次需要教师参与较多的数学/数字活动(例如:制作图表比较儿童的身高,数数并记录小鸟喂食架上的雀鸟数目)。*

7.2 轮流更换材料以保持儿童的兴趣(例如:用恐龙计算器代替小熊计算器,量度不同东西的重量)。

项目(26):不同种类的数学/数字材料可以帮助儿童体验数数、测量、比较数量、识别形状以及熟悉书面数字。数学/数字材料的例子有:用来数数的小物件、天平秤、间尺、数字拼图、磁性数字、数字骨牌或数字图卡等数字游戏,以及学习几何形状的镶嵌积木等。

1.2 "主要是通过背诵或做工作纸的方式进行"意指这些方式占儿童数学/数字学习经验的大部分。

3.1 "切合儿童发展阶段的数学/数字材料"是指儿童能够使用具体实物进行数量、大小和形状方面的试验,借以发展日后课堂学习(如加减及书面数学题)所需的较抽象的概念。材料或活动是否适合主要取决于儿童的兴趣和能力。对曾经操作过许多实物的年龄稍长幼儿来说,偶尔做一次数学工作纸也许是切合他们的发展阶段的,但对2至3岁的小龄幼儿来说却不然。要在教室里仔细查找数学材料,因为它们可能不是集中自成一角。"有一些"是指材料来自上列五类中最少三类,而且每类最少有两个不同例子(各类数学材料的实例见 *All About the ECERS-R* 第267—269页)。

3.2 每天8小时或以上的课程至少要有1小时让儿童能够使用材料,才可得分。8小时以下的课程所要求时数按比例计算(请参看第20页"量表术语解释")。

5.1 "许多"是指每类材料大约有3—5个例子。然而,只要四类材料都具备,每类的例子数量可以增减。在有些情况下,如果一类有3—5个以上的例子,而另一类却少于3—5个例子,指标仍可得分。当然,这也取决于班上儿童的年龄和人数。明显为儿童学习数学而设计的材料应该给分(如小块分几种大小或不同形状的拼图、数字配合插孔的插孔板、配以称重物品的天平秤、辨别大小的嵌套杯)。其他通用的材料(积木、串珠、一组不同大小的小熊)如

要得分,就必须观察到它们确实是用于数学学习。

5.3 大约有75%的材料符合"摆放有序,状况良好"的要求,就可得分。

5.4 此指标的宗旨是成人应把数学和数字与儿童日常生活中的实际事件联系起来。因此,要在进餐或准备进餐(如摆放餐具)、转换活动、用计时器进行轮流活动、点算缺席人数等时候,寻找使用数学或数字的情况。评估这指标时,对诸如数字游戏或电脑游戏等游戏活动不要给分。作为实际生活环节一部分的"数字谈话"或数字经验,在观察过程中必须看到一次以上,才可得分(关于"数字谈话"的举例请看 *All About the ECERS-R* 第272、273页)。

7.1 活动清单见 *All About the ECERS-R* 第273、274页。

问题:

7.1 除了我看到的这些之外,可否请你举一些你和儿童开展数学活动的例子?

7.3 你还为儿童采用其他数学材料吗?你是怎么做的?

不足		最低标准		良好		优良
1	2	3	4	5	6	7

项目(27):电视、录影及/或电脑的使用 *

1.1 所用材料不适合儿童的发展(例如:含有暴力或色情成分的内容,恐怖的人物或故事,难度过高的电脑游戏)。*

1.2 使用电视/电脑时,没有提供别的活动以供选择(例如:所有儿童必须同时观看录影节目)。

3.1 所有使用的材料都不含暴力,而且显示文化敏感度。*

3.2 使用电视/电脑时提供别的活动供儿童选择。

3.3 儿童使用电视、录影或电脑的时间有所限制。*

5.1 只限使用"对儿童有益"的材料(例如:芝麻街、教育性录影和电脑游戏,但大多数卡通片除外)。*

5.2 电脑是众多自由选择活动之一。
可评"不适用"

5.3 大多数材料鼓励儿童积极参与(例如:儿童能跟着录影跳舞、唱歌或做体操,电脑软件鼓励儿童思考和做决定)。

5.4 教师积极参与电视、录影或电脑的活动(例如:与儿童一起观看和讨论录影,开展教育电视所建议的活动,帮助儿童学习使用电脑程序)。

7.1 有一些电脑软件鼓励儿童发挥创造性(例如:创意线条画或彩绘的程序;在电脑游戏中解决问题的机会)。
可评"不适用"

7.2 用来加强和扩展课堂主题和活动的材料(例如:有关昆虫的光碟或录影为自然主题提供更多资料,关于农场的录影为儿童的校外考察做好准备)。

*注释：

项目(27)：如果电视、录影或电脑都没有使用，可评"不适用"(NA)。必须永远记住要查问电视和电脑的使用情况，因为它们往往几班合用，而你访问的那天可能看不到。如果电视/录影的使用很少，每个月不到一次，而且只是在所有儿童都感兴趣的期间短暂一用，那么便该评"不适用"(NA)。然而，即使很少使用电视，但如每次使用时间较长，对儿童构成问题，便要按有关说明进行评分。

1.1、3.1　要判断材料是否含暴力和具文化敏感度，就必须对材料的内容进行考察。可惜即使专为儿童市场而制作的录影或电视节目还是含有暴力，因此并不适宜儿童观看。这可能包括一些野生生态的制作和卡通片。如果儿童从家里带来录影或游戏材料让大家集体使用，也必须对这些材料的合适性作出判断。

3.3　此指标的宗旨是要保证儿童参加能让他们积极发挥创意和想象的游戏，并且获得动手操作材料的实际经验，而不是无节制地花大量时间看电视或玩电脑游戏。在考察儿童使用电脑的时间限制时，不仅要考虑每个儿童每次能玩多久，还要考虑每个儿童能轮流玩多少次，以及儿童会否花时间看别人玩电脑。与其他活动相比，使用电脑的时间应该相对较短。

2011 年版 *Caring for Our Children* 第 66—67 页把容许儿童观看电视、录影、DVD 及使用电脑的时间称为"媒体播映时间"。根据其建议，ECERS 组别的儿童每星期应只限观看一次，总时间不超过 30 分钟。任何课程，不论每天上课时间多少，其儿童每天使用电脑应不超过 15 分钟，残障儿童需要电脑科技协助者除外。正餐/点心环节应禁绝媒体播映。

5.1　我们认为专门为提高儿童的学习效果与理解能力而开发的材料更具教育性和"对儿童有益"(具体例子请看 *All About the ECERS –*

问题：

你有没有为儿童使用电视、录影或电脑？用法如何？

1.1、3.1、5.1、7.1　你如何为儿童选择电视、录影或电脑材料？这些材料在使用前，教师熟悉它们的内容吗？在放映儿童从家里带来的录影材料前，是否考虑过合适性的要求？

1.2、3.2　在使用电视或录影的时候，儿童有没有其他活动选择？

3.3　儿童多久使用电视、录影或电脑一次？可使用的时间有多长？

5.3　这些材料之中有鼓励儿童积极参与的吗？请举几个例子说明。

7.2　你会使用与教学主题相关的电视、录影或电脑材料吗？请说明。

不足		最低标准		良好		优良
1	2	3	4	5	6	7

项目(28):促进接受多元性*

1.1 材料中看不到种族或文化多元性的特征(例如:所有玩具和图片都是关于同一个种族的;所有印刷品都呈现一种文化;校园内通用两种语言,但所有文字和听觉材料却只用一种语言)。

1.2 材料只呈现典型的民族、文化、年龄、能力和性别。

1.3 教师表现出对他人存有偏见(例如:对来自不同种族或文化群体的儿童或其他成人以及残障人士存有偏见)。*

3.1 材料中可看到一些种族和文化的多元性(例如:娃娃、图书或图片显示多种族或多文化,来自不同文化的音乐录音带,双语区提供一些以儿童母语制作的材料)。*

3.2 材料表现出文化的多元性(例如:不同的种族、文化、年龄、能力或性别)。*

3.3 教师采取适当的干预,消解儿童或其他成人的偏见(例如:讨论同与异,制定公平对待他人的规则),或者没有偏见的表现。

5.1 提供许多图书、图片和材料,显示不同种族、文化、年龄、能力和性别的人担当着非定型的角色(例如:既有历史图像也有当代图像;男性和女性从事许多不同类型的工作,包括传统的和非传统的角色)。*

5.2 为角色游戏提供一些代表各种文化的道具(例如:不同种族的娃娃、民族服装、来自不同文化群体的烹饪和用餐器具)。*

7.1 多元性是日常生活环节和游戏活动的组成部分(例如:正餐和点心经常吃民族食品;音乐时间使用来自不同文化的音乐录音带和歌曲)。

7.2 开展促进理解和接纳多元性的活动(例如:鼓励家长跟儿童分享家庭风俗习惯,在节日庆祝中表现各种文化)。

项目(28)：在评价材料的多元性时，要考虑儿童使用的所有活动区和材料，包括陈列的图片和照片、图书、拼图、游戏、娃娃、积木角中的玩具人物、木偶、音乐录音带、录影和电脑软件。

1.3 如果出现明显的、故意的和重复的偏见行为才评"是"。如果观察到一个孤立的"政治不正确"或"缺乏文化敏感度"的事例(如教师要求儿童"像红蕃般坐")，那就不要评"是"。然而，为了提高教师的敏感度，这样的事例应该在与量表有关的技术支援会议中提出。

3.1 "一些"是指在儿童一天中大部分时间都使用的教室内，可以找到种族及文化多元性的例子各一，而且儿童都很容易看到这些例子。

3.2 如果任何群体的形象被定型或暴力化，像一些"牛仔和印第安人"玩具那样，这指标就应该评"否"。这里也应该考虑性别平等的问题。描写男人和男孩在进行传统的男性活动，而女人和女孩在进行传统的女性活动，可以接受。然而，如果定型的性别描绘带有任何负面色彩，那就不能给分。不必急于搜索负面的例证，只需找出容易让儿童见到的问题。当呈现一个文化的历史传统时，必须也呈现它非传统的现代一面作为平衡。例如：如果材料中介绍了非洲的传统部落文化，那么同时也应该介绍其当代面貌。

5.1 此指标要求有许多图书、图片和材料。在某种程度上，所有列举的各类多元性都应包括在内。然而，每个类别并不要求许多样例。材料应放在儿童一天中有相当多时间使用的空间内。如果材料放在使用时间相对较短的空间(如走廊、入口、午餐室、晨课教室或晚课教室)，它们就不算符合指标的要求。

项目(6)"儿童陈列品"指标5.1肯定班上儿童及其家人的照片。但作为"表现多元性的图片"，这些照片在本项目便不能获得肯定，即使班级合照中的儿童及家人在种族、文化、能力和性别方面都显示多元性。这个指标如要得分，教师特意选出的许多(至少3—5张)清楚显示多元性的图片必须陈列在儿童大部分时间使用的空间中，让他们容易看见。

5.2 要打分的话，必须可以在室内或户外观察到两个以上的样例，而且是儿童很容易见到的。样例包括不同类型的娃娃、木偶、积木和角色游戏的玩具人物，来自不同文化的道具服装、食品和餐具。

问题：

3.1 可否请你举一些例子，说明你为儿童提供哪些类型的音乐？

3.3 如果儿童或成人有偏见的表现，你会怎么做？

7.2 你会开展一些活动帮助儿童认识我们国家和世界的种族多元性吗？请举一些例子。

互动

不足		最低标准		良好		优良
1	2	3	4	5	6	7

项目(29):大肌肉活动的管理 *

1.1 大肌肉活动区内保障儿童健康和安全的监管不足(例如:出现儿童无人看管的情况,即使为时短暂;区内看管儿童的成人不足;教师不理儿童)。*

1.2 大多数的师幼互动是负面的(例如:教师看上去很生气,惩罚性和过度控制的氛围)。*

3.1 监管充分,足以保障儿童的健康和安全(例如:有足够的教师在场看管儿童,教师在能看到所有活动范围的地方把守,教师根据需要来回走动,出现问题时会干预)。

3.2 有一些正面的师幼互动(例如:安慰不开心或受伤的儿童,对儿童新学到的技能加以赞赏,愉快的语调)。*

5.1 教师采取行动防止危险情况发生(例如:事先剔除破损的玩具或其他危险因素才让儿童使用器材,阻止粗鲁的游戏防止儿童受伤)。

5.2 大多数的师幼互动愉快而有益。*

5.3 教师帮助儿童发展使用设备的技能(例如:帮助儿童学习在秋千上蹬腿,帮助残障儿童学习使用三轮车的改装踏板)。

7.1 教师跟儿童谈论与游戏相关的理念(例如:为幼儿介绍远近、快慢等概念,让儿童讲述自己搭建的东西或角色游戏)。

7.2 教师帮助安排资源,使游戏升值(例如:帮助儿童设置三轮车的障碍路线)。

7.3 教师帮助儿童发展正面的社交(例如:协助儿童轮流使用受欢迎的器材;提供鼓励协作的设备,如双人摇船、对讲机)。

* 注释:

项目(29):给本项目评分时,须考虑管理大肌肉活动的所有教师,以及与你所观察的班级年龄能力相近的所有儿童。注意成人对最危险的地方和活动要有充分的监管。

1.1 指标中的例子"出现儿童无人看管的情况,即使为时短暂"是指没有成人在现场看管儿童。

1.2 "大多数"是指大肌肉活动期间 50% 以上的互动,包括语言和非语言的互动。

3.2 "有一些正面的师幼互动"是指大多数的交流或是中性的,或是正面的,而且至少可以观察到两个正面的例子。要给分的话,大多数的互动不能是负面的。

5.2 "大多数的师幼互动"是指大多数的语言和非语言互动是正面的。正面和有益的互动必须比中性互动多。可以接受一两个稍微负面的互动,但如观察到极端负面的互动事例则不行。

问题:

可否请你描述一下在大肌肉活动和户外游戏时教师如何管理儿童?

5.3 如果儿童使用设备时遇到困难,会出现什么情况?

不足		最低标准		良好		优良
1	2	3	4	5	6	7

项目(30):儿童的一般管理(不包括大肌肉活动)*

1.1 对儿童的看管不够(例如:教师任由儿童无人管理,儿童的安全没有受到保障,教师主要处理其他工作)。

1.2 看管大多数带惩罚性质或过分控制(例如:呼喝、贬低儿童、经常对儿童说"不")。*

3.1 看管充分,足以保障儿童安全。

3.2 注意清洁及防止不恰当地使用材料(例如:清理脏乱的科学桌,阻止儿童把整瓶胶水倒出来)。

3.3 看管大多数不带惩罚性,以合理的方式控制儿童秩序。*

5.1 看管仔细,而且根据儿童的年龄和能力作出适当的调整(例如:对小龄或较冲动的幼儿加倍注意)。

5.2 有需要时教师对儿童给予帮助和鼓励(例如:帮助闲荡的儿童投入游戏,帮助儿童完成拼图)。

5.3 即使在指导个别小朋友或小组时,教师仍留意全班的动静(例如:教师在指导一个小朋友的同时会环顾教室,并确保视线以外的地方有其他教师在看管)。

5.4 教师对儿童的努力和成就表示赞赏。

7.1 教师跟儿童谈论与游戏相关的理念,向他们提问和提供资讯,借以开拓他们的思维。

7.2 在儿童独立探索的需要和教师于学习上的指导之间保持一种平衡(例如:让儿童先完成绘画,然后请他谈他的作品;当儿童的积木房子倒塌时,让他知道是因为失去了平衡)。

*注释：

项目(30)：此项目的评分必须根据在整个观察过程中所看到的日常程
　　　序及游戏活动的情况。应考察过各种不同境况下的监管情形之
　　　后才打分，包括非常放松的时间和非常紧张的时间。

1.2、3.3　"大多数"是指观察到的大部分监管行为(超过50%)。

不足		最低标准		良好		优良
1	2	3	4	5	6	7

项目(31):纪律

1.1 用严厉的措施控制儿童的秩序(如打屁股、呼喝、长时间限制活动,或不许进食)。	3.1 教师从不采取体罚或严厉的措施。	5.1 教师有效地采用非惩罚性的纪律措施(例如:关注正面的行为,引导儿童从不可接受的活动转向可接受的活动)。	7.1 教师积极让儿童参与解决他们的冲突和问题(例如:帮助儿童讲出问题,并思考解决的办法;引导儿童关注他人的感受)。
1.2 纪律非常松散,几乎没有秩序或失控。	3.2 教师通常能够维持秩序,防止儿童之间发生损伤。	5.2 课程的设计避免冲突,促进切合儿童年龄的互动(例如:提供多件相同的玩具,提供不受干扰的空间让儿童玩心爱的玩具)。	7.2 教师开展活动帮助儿童认识社交技巧(例如:使用故事书和小组讨论的方式与儿童一起处理常见的冲突)。*
1.3 整体来说,对儿童行为的期望不切合他们的年龄和发展水平(例如:进餐时所有人必须安静,儿童必须安静地等待很长时间)。	3.3 整体来说,对儿童行为的期望切合他们的年龄和发展水平。	5.3 教师对儿童的行为反应一致(例如:不同的教师执行相同的规则,采取相同的措施;按基本规则要求所有儿童)。*	7.3 教师向其他专业人士请教有关行为问题的意见。*

5.3 教师处理不同情境或不同儿童的方式要一致。这不是说不能有
灵活性。正面的群体社交基本规则应该永远遵守,如不能打人伤
人、对人和物都要尊重爱护。可能需要特别设计一套课程帮助残
障儿童遵守基本的课堂规则。

7.2 活动必须定期开展,每周至少一次,足以对儿童的认识产生影响,
指标才可得分。

7.3 "其他专业人士"通常指机构以外、对相关领域有专门研究的人。
在教室或中心工作的早期教育专业人士(教师、主任等)可以透过
局外人的眼光看待一个遇到困难的儿童,因而从中受益。但是,
在罕有的情况下,如果机构的一位教师在有关领域学有专长,能
够提供一个不偏不倚的看法,他/她也可以视为"其他专业人士"。

问题:

1.1 你有遇到过非采取严厉纪律措施不可的情形吗? 请描述一下你
使用的方法。

7.2 你为儿童提供过鼓励他们融洽相处的活动吗? 如果有,请说明。

7.3 面对一个有严重行为问题的儿童,你会怎么做?

不足		最低标准		良好		优良
1	2	3	4	5	6	7

项目(32):师幼互动 *

1.1 教师不回应儿童或不参与儿童的活动(例如:忽视儿童;好像拒人千里或冷冰冰的)。

1.2 互动不愉快(如声音听起来紧张而急躁)。*

1.3 肢体接触主要是为了控制儿童(例如:催促孩子快走)或者是不恰当的(如儿童不喜欢的拥抱或挠痒痒)。

3.1 教师常常以一种温和、鼓励的方式回应儿童(例如:教师和儿童看上去都很轻松、声音欢快、常常微笑)。

3.2 几乎没有什么不愉快的互动。

5.1 教师通过恰当的肢体接触表达关爱(例如:轻拍儿童的背部,回应儿童的拥抱)。

5.2 教师对儿童表示尊重(例如:留心聆听、有眼神接触、公平对待儿童、不歧视)。

5.3 教师同情地作出回应,帮助不开心、受伤,或生气的儿童。*

7.1 教师看上去乐于跟儿童在一起。

7.2 教师鼓励儿童和成人互相尊重(例如:教师等待儿童问完问题后再回答,有礼貌地鼓励儿童聆听成人说话)。

*注释：

项目(32)：尽管本项目中的品质指标普遍适用于各种文化和个体，但表现这些品质的方式可能有所不同。例如，在某些文化中，直接的目光对视是尊重的标志，而在其他文化却表示不尊敬。同样，有些人可能比其他人更习惯微笑和流露感情。然而，指标的要求必须做到，虽然达标的方法可能有些差异。

1.2 如果在观察的整个或部分过程中看到大量不愉快的互动，才能给指标评"是"。如果仅仅看到一两个短暂的不愉快例子，而大多数互动是中性或正面的话，评"否"。

5.3 "同情地作出回应"是指教师注意到并且接受儿童的感受，即使儿童所表现的情绪是通常被认为不可接受的，如生气或不耐烦。尽管不恰当的行为如打人或扔东西不可容许，但儿童的情绪应该获得接纳。

在大多数但非所有情况下，教师应给予儿童富有同情心的回应。如果儿童能够自己解决一些小问题，教师就不需要作出回应。观察员要对教师的回应取得一个整体的印象。如果小问题持续不断，并且受到忽视，或如果教师以一种负面的方式回应儿童，那么这指标便不能得分。

不足		最低标准		良好		优良
1	2	3	4	5	6	7

项目(33):同伴互动

1.1 不鼓励儿童之间的同伴互动(例如:阻止同伴间的交谈,儿童很少有机会选择自己的玩伴)。

1.2 没有或很少有教师指导儿童进行积极的同伴互动。

1.3 没有或很少有积极的同伴互动(如常有戏弄、争吵、打架等情形)。

3.1 教师鼓励儿童之间的同伴互动(例如:允许儿童自由走动,使自然的组合可以形成,产生互动)。

3.2 教师阻止负面的、造成伤害的同伴互动(如阻止叫别人的诨名、打架)。

3.3 有一些积极的同伴互动。

5.1 教师示范良好的社交技巧(如对他人友好、聆听、同情、合作)。

5.2 教师帮助儿童发展适当的社交行为,以利于儿童与同伴相处(例如:帮助儿童通过沟通而不是打架来解决冲突,鼓励孤独的儿童找朋友,帮助儿童理解他人的感受)。

7.1 同伴互动一般是积极的(例如:年龄稍长的儿童经常互相合作和分享;儿童通常能够友好相处,没有打架)。

7.2 教师提供一些机会让儿童与同伴合作完成任务(例如:让一组儿童一起在一张大墙纸上画画,用多种食材煲汤,合作给桌子配椅子)。

问题:

7.2 你会开展活动鼓励儿童一起合作吗? 可否举些例子?

课程结构

不足		最低标准		良好		优良
1	2	3	4	5	6	7

项目(34):日程表

1.1 日程要不是太僵化(没有留时间让儿童进行自己感兴趣的活动),就是太灵活(混乱,常规事项缺乏可依循的次序)。*

3.1 有儿童熟悉的基本日程(例如:在大多数的日子里,常规事项和活动都依大致相同的次序进行)。

3.2 在教室里张贴书面日程表,内容与进行的活动大致吻合。*

3.3 每天至少有一个室内和一个户外(如天气许可)的游戏时段。*

3.4 每天既有大肌肉活动,也有活动量较小的游戏。

5.1 日程表在结构性和灵活性之间取得平衡(如遇上好天气,常规的户外游戏时间可以延长)。

5.2 每天开展各种游戏活动,有些由教师主导,有些由儿童发起。

5.3 一天中有相当多的时间进行游戏活动。

5.4 转换日常活动时没有长时间的等候。*

7.1 日常活动衔接畅顺(例如:在当前的活动结束之前,下一个活动的材料已经准备好;儿童通常分批转换活动,教师每次只处理几个孩子,而不是全班)。

7.2 针对儿童的个别需要调整日程(例如:为专注力短暂的儿童安排较短的故事时间,从事项目活动的儿童可以在日程表规定的时间之后继续工作,吃饭较慢的儿童可以依自己的节奏进餐)。

[*] 注释：

1.1 "常规事项"是指室内外游戏活动,以及诸如正餐/点心、午睡/休息、入园/离园等日常环节。

3.2 指标的宗旨是一天的活动要依循一个大致的顺序,但不必十足按照书面的日程表。这指标如要得分,书面日程表必须张贴在室内,张贴在户外不行。

3.3 在每天 8 小时或以上的课程中,室内和户外的游戏时间必须至少各占 1 小时(8 小时以下课程的要求时数请看第 20 页"量表术语解释")。

5.4 "没有长时间的等候"是指由一个环节转换到另一个环节之际,儿童无所事事的时间不超过 3 分钟(如漫无目的地四处奔跑、全班儿童坐在桌边等待午餐、排队等候外出或使用洗手间)。注意,这指标是指两个活动之间的等候,不是任何活动期间的等候。

不足		最低标准		良好		优良
1	2	3	4	5	6	7

项目(35):自由游戏 *

1.1	要不是很少有自由游戏的机会,就是一天大部分时间都花在无人看管的自由游戏上。	3.1	每天有一些自由游戏活动在室内和户外(如天气许可)进行。*	5.1	每天有相当多的时间在室内和户外开展自由游戏(例如日程表中包括几个自由游戏时段)。	7.1	把看管用作教育性互动的手段(例如:教师帮助儿童思考解决冲突的办法,鼓励儿童谈论他们的活动,介绍与游戏相关的概念)。

1.1　要不是很少有自由游戏的机会,就是一天大部分时间都花在无人看管的自由游戏上。

1.2　供儿童在自由游戏中使用的玩具、游戏和设备不足。

3.1　每天有一些自由游戏活动在室内和户外(如天气许可)进行。*

3.2　提供看管以保障儿童的健康和安全。*

3.3　有一些玩具、游戏和设备供儿童在自由游戏中使用。

5.1　每天有相当多的时间在室内和户外开展自由游戏(例如日程表中包括几个自由游戏时段)。

5.2　借看管促进儿童游戏(例如:教师帮助儿童取他们要用的材料,帮助儿童使用难以操作的材料)。

5.3　为自由游戏提供丰富、种类繁多的玩具、游戏和设备。

7.1　把看管用作教育性互动的手段(例如:教师帮助儿童思考解决冲突的办法,鼓励儿童谈论他们的活动,介绍与游戏相关的概念)。

7.2　定期引入一些自由游戏的新材料和新经验(例如:轮流转换材料,因应儿童的兴趣增加活动)。

*注释：

项目(35)：允许儿童选择材料和玩伴，并且尽可能让他们独立开展游
　　　　戏。成人的互动仅限于回应儿童的需要。如果由教师分配儿童
　　　　去哪个活动区或选择儿童可以使用哪些材料，活动便不能算是自
　　　　由游戏。

3.1　"自由游戏"或自由选择并不是要求所有活动区都开放给儿童选
　　　择。只要儿童可以选择游戏的地点、内容和玩伴，活动场地的数
　　　目可以有所限制。8 小时或以上的全日制课程每天必须至少有 1
　　　小时让儿童参与自由游戏，指标才能得分。这 1 小时可以是一次
　　　过的，也可以是一天中几段时间的总和(8 小时以下的课程所要
　　　求的时数，请看第 20 页"量表术语解释")。

3.2　此指标只评价儿童在室内外进行自由游戏的过程中是否有人看
　　　管，好使威胁他们健康和安全的主要危险可以减到最少。但指标
　　　并不适用于评价常规事项和其他活动的管理(如看管儿童禁止他
　　　们玩火柴或吞食有毒的东西等)。除非自由游戏期间的看管极度
　　　松懈，否则不要评"否"。

问题：

可否请你说说儿童有些什么机会玩自由游戏？这些游戏通常在什么时
间和什么地点进行？儿童可以玩什么玩具？

不足		最低标准		良好		优良
1	2	3	4	5	6	7

项目(36):集体活动

1.1 一天大多数时间把儿童集合成一个团体(例如:所有儿童在同一时间做同样的美劳项目、听故事诵读和唱片、上厕所)。*

1.2 教师很少机会与个别或小组儿童进行互动。*

3.1 有些游戏活动以小组形式或个体形式进行。*

3.2 儿童有一些机会自己选择玩伴组织小组。*

5.1 集体活动的时间短暂,而且适合儿童的年龄和个体需要。*

5.2 许多游戏活动以小组或个体形式开展。*

5.3 有些常规活动也是以小组或个体形式开展。

7.1 不同形式的分组为一天的安排提供节奏上的变化。

7.2 教师与小组、个体以及全班儿童之间都有教育性互动(例如:诵读故事,帮助小组儿童进行烹饪或科学活动)。*

7.3 提供许多机会让儿童自己选择玩伴组织小组。

* 注释:

1.1　"团体"一般是指班上的所有儿童。但是,如果是一个很大的班分
　　　成两个规模较大的小组,而每个小组的儿童必须参与同一活动的
　　　话,这样也算是集体活动时间。"一天大多数时间"是指儿童上课
　　　时间的 75%。

1.2、3.1、3.2、5.2　小组的定义可因儿童的年龄和个体需要而异。对
　　　正常发展的 2、3 岁儿童来说,一个合适的小组可能有 3—5 名儿
　　　童;而对 4、5 岁的儿童来说,5—8 名儿童是管理得来的。

5.1　"集体活动"可能不适合 3 岁以下或某些有特殊需要的儿童。在
　　　这种情况下,5 分就不要求有集体活动。判断集体活动是否适合
　　　的一个方法,是看看儿童是否能够保持兴趣和投入。

5.2　如要符合"许多"的要求,观察到的游戏活动便至少要有一半应是
　　　以小组或个体形式完成。

7.2　评分员必须通过观察,对儿童的活动经验取得一个总体的印象。
　　　某位教师可能在教育性互动方面比其他教师优胜,如果该教师的
　　　能力够强,可以给分。

不足		最低标准		良好		优良
1	2	3	4	5	6	7

项目(37):残障儿童支援 *

1.1 教师没有尝试去评估儿童的需要或寻找现成的评估材料。

1.2 没有尝试去满足儿童的特殊需要(例如:教师互动、物质环境、课程活动、日程表等没有作出需要的调整)。

1.3 家长没有参与协助教师认识儿童的需要或为儿童设定目标。

1.4 残障儿童很少与班上其他儿童在一起(例如:儿童不同桌吃饭,残障儿童闲荡而不参与活动)。

3.1 教师从现成可用的评估材料中获得资讯。

3.2 为满足残障儿童的需要作出轻微的调整。*

3.3 家长和教师在制定目标上有一些参与[如家长和教师参加"个别教育方案(IEP)"的制订和"个别家庭服务计划(IFSP)"的会议]。

3.4 残障儿童于进行中的活动有一些参与,跟其他儿童在一起。

5.1 教师彻底跟进其他专业人士(如医生、教育家)建议的活动和互动,帮助儿童达致确定的目标。

5.2 环境、课程和日常程序均进行了必要的调整,使残障儿童能够和其他儿童一起参与许多活动。

5.3 家长经常与教师分享资讯、参与制定目标和对课程的运作提出意见。

7.1 大多数的专业性介入在课堂的常规活动中进行。

7.2 残障儿童与全班融合,参加大多数的活动。

7.3 教师参与个体评估和制定介入方案。

* 注释：

项目(37)：注意，只有当班上有完成评估、被诊断为身患残障的儿童时，才对这项目进行评分。如果还没有对儿童完成诊断和评估(或者班上没有残障儿童)，那么项目该评为"不适用"。如果儿童正在接受社会服务，那可看作已经作出诊断和评估的证据。评估这个项目不需要有"个别教育方案 (IEP)"和"个别家庭服务计划 (IFSP)"的情况。为确保家庭隐私，教师不需要指出残障儿童是谁，或把残障的详情告诉观察员。当你向教师提问如何处理认定儿童的特殊需要时，你不需要知道所讨论的儿童是谁。

3.2 "轻微的调整"可包括在环境方面作有限度的改变(如坡道)以便儿童上学，或者安排治疗师定期来机构看孩子。

问题：

可否请你描述一下，你如何尝试去满足班上残障儿童的需要？

1.1、3.1 有没有孩子们的资料是来自评估材料的？ 你如何利用这些材料？

1.2、3.2、5.2 你必须特别做什么来满足儿童的需要吗？ 请描述你做了哪些事情。

1.3、3.3、5.3 在协助制定如何满足儿童需要的方案上，你和儿童的家长有没有参与？ 请说明。

5.1、7.1 介入服务，如治疗，是如何处理的？

7.3 你有没有参与儿童的评估或介入方案的制定？ 你的角色是什么？

家长与教师

不足		最低标准		良好		优良
1	2	3	4	5	6	7

项目(38):家长支援

1.1 没有给家长提供课程的书面资料。

1.2 不鼓励家长观察或参与儿童课程的活动。

3.1 给家长提供有关课程行政的书面资料(如费用、服务时间、上学的健康规定)。

3.2 关于儿童的资讯家长和教师有一些交流(例如:非正式的沟通,有要求时才召开的家长会,一些教养子女的资料)。

3.3 为父母和家庭成员提供一些参与儿童课程活动的机会。

3.4 家庭成员和教师之间的互动一般是正面和互相尊重的。

5.1 鼓励家长给孩子注册入学前先到孩子的班上观察。

5.2 让家长了解课程的教育理念和实践方法(如家长手册、纪律方针、活动介绍)。

5.3 关于儿童的资讯家长和教师有许多交流(例如:频密的非正式交流;所有儿童家长的定期会议,家长会,校园通讯,教养子女的资料)。

7.1 每年邀请家长对课程进行评价(如父母问卷、集体评估会议)。

7.2 需要时把家长转介给其他专业人士(例如:为了寻求特殊的子女教养帮助,解决儿童健康方面的问题)。

7.3 家长和教师一起参与课程的决策(如董事会有家长代表)。

不足		最低标准		良好		优良
1	2	3	4	5	6	7

5.4　为鼓励家庭参与儿童的课程活动提供各种途径(例如:把庆祝生日的食物带来,与儿童一起吃午餐,参加家庭聚餐会)。

问题:

1.1、3.1　你们有没有给家长提供过有关课程的书面资讯? 这些资讯包含哪些内容?

1.2、3.3、5.4　家长是否有可能参与自己孩子班上的活动? 请举几个例子。

3.2、5.3　你和家长交流儿童的资讯吗? 你是怎么做的?

3.4　你和家长的关系通常是什么样的?

5.1　家长在孩子入学前可以参观上课吗? 一般会怎么做?

7.1　家长参与课程的评价吗? 如何参与? 多久参与一次?

7.2　家长遇到困难时,你会怎么做? 你会把家长引荐给其他专业人士吗?

7.3　家长参与制订课程的一些决策吗? 如何参与?

不足		最低标准		良好		优良
1	2	3	4	5	6	7

项目(39):教师个人需要支援

1.1 没有教师专用的空间(例如没有另外设置的卫生间、休息室和存放个人物品的地方)。

1.2 没有提供时间让教师离开儿童处理个人需要(如没有休息时间)。

3.1 有另外设置的卫生间。

3.2 在儿童游戏空间以外的地方有一些成人用的家具。

3.3 有一些存放个人物品的地方。

3.4 教师每天至少有一次休息。

3.5 必要时为残障的教师作出调整,配合需要。
可评"不适用"

5.1 休息室设有成人用的家具,休息室可以两用(如用作办公室、会议室)。

5.2 方便的个人储物设备,必要时有安全配套措施。*

5.3 每天都有上午、下午和午餐的休息时间。*

5.4 为教师提供吃午饭和点心的设备(如冰箱、厨房用具)。

7.1 有另外设置的休息室(非两用)。

7.2 休息室设有舒适的成人家具。

7.3 教师可决定自己的弹性休息时间。

* 注释:

5.2 如果教师不需要离开教室或放下儿童就能取存他们的个人物品,储存设备才算是"方便"的。

5.3 这些要求按一天工作 8 小时计算,如工时较短,应作出调整。如教师选择不休息但早一点离开,评"是"。

问题:

1.2、3.4、5.3 一天中你有休息时间可以离开儿童吗? 在什么时候?

3.3、5.2 你的个人物品,如外套或钱包,平时存放在哪里? 存放方便吗?

不足		最低标准		良好		优良
1	2	3	4	5	6	7

项目(40):教师专业需要支援

1.1 没有电话可用。*

1.2 没有文件夹或储存教师材料的空间(例如:教师没有空间存放准备活动所需的材料)。

1.3 儿童在园时,没有空间可用来召开个别会议。

3.1 使用电话方便。*

3.2 可使用一些文件夹及储存材料的空间。

3.3 儿童在园时,有一些空间可用来召开个别会议。

5.1 有足够的文件夹和储存材料的空间。

5.2 有行政用的独立办公空间。*

5.3 有合适的空间供召开会议及举行成人小组聚会之用(例如:安排场地时不会因为一地两用或多用而变得困难,私隐得到保证,提供适合成人使用的家具)。

7.1 行政用的办公空间设备齐全(如采用电脑和电话录音)。

7.2 有用来召开会议及举行小组聚会的空间,地点方便,环境舒适,而且与儿童的活动空间分开。

* 注释:

1.1 电话不必安装在教室内,但必须可以随时使用。如电话设在另一栋楼或另一楼层,又或者在一个上了锁的办公室内,这个指标就要评"是"。

3.1 这指标如要得分,教室内就必须装有电话,以便紧急时通知家长或与他们作简短交谈之用。如有手机可用,也可接受。

5.2 中心主任的办公室或公立学校的办公室都算是"独立办公空间"。办公室必须设在机构内才能得分。

问题:

1.1、3.1 你在园时可以使用电话吗? 电话在哪里?

1.2、3.2、5.1 你有任何文件夹和储物空间可用吗? 请说明。

1.3、3.3、5.3、7.2 当儿童在园时,有地方可以用来召开家长教师会或者举行成人小组聚会吗? 请说明。

5.2、7.1 这个课程设有办公室吗? 请描述一下。

不足		最低标准		良好		优良
1	2	3	4	5	6	7

项目(41):教师的互动与合作 *

1.1 教师之间没有为满足儿童需要交流必要的资讯(例如没有传达儿童早退的讯息)。

1.2 人际关系干扰了照料的责任(例如:教师因交际而忽略儿童;或者彼此不和,言谈生硬)。

1.3 教师的工作分配不公平(例如:一名教师承担了大部分工作,而另一名教师却相对清闲)。*

3.1 教师交流一些满足儿童需要的基本资讯(如所有教师都知道一名儿童的过敏症)。

3.2 教师之间的人际互动不干扰照料责任。

3.3 教师的工作分配公平。*

5.1 教师每天交流有关儿童的资讯(例如关于特定儿童的常规活动和游戏的开展情况)。

5.2 教师之间的互动是正面的,予人温馨和互相扶持的感觉。

5.3 教师分担工作,使照料和游戏活动都能顺利进行。*

7.1 同组或同班工作的教师至少每隔一周便聚会一次制订计划。

7.2 每位教师的职责明确(例如:一位教师跟小朋友打招呼,另一位教师取出游戏材料;一位教师帮助儿童准备休息,另一位教师监督儿童刷牙)。*

7.3 机构促进教师之间的正面互动(例如:组织社交活动,鼓励教师集体参加专业会议)。

* 注释：

项目(41)：如果你所观察的班级有两位或两位以上的教师，即使他们不
　　　　是同时在班上工作，也可进行评分。如果所观察的班级只有一位
　　　　教师，这项目便应评为"不适用"。

1.3、3.3、5.3、7.2　"教师的工作分配公平"是指所有教师都积极投入
　　　　分配的任务，且能完成工作(对工作分配的进一步讨论，请看 *All
　　　　About the ECERS – R* 第 423 页)。

问题：

1.1、3.1、5.1　你有没有机会跟同班工作的其他教师分享儿童的资讯？
　　　　这种分享如何开展？ 多久进行一次？ 你们会讨论些什么内容？

7.1　你和你的合作教师有没有一起制订计划的时候？ 多久进行一次？

7.2　你和同班的教师如何分配各自的工作？

7.3　机构有没有组织活动让你和其他教师一起参加？ 可否请你举些
　　　例子？

不足		最低标准		良好		优良
1	2	3	4	5	6	7

项目(42):教师督导与评价 *

1.1 不对教师进行督导。

1.2 不对教师的表现进行回馈或评价。

3.1 对教师进行一些督导(如主任进行非正式视察,遭到投诉时进行视察)。

3.2 对教师的表现提供一些回馈。

5.1 一年一次的督导性视察。

5.2 每年对教师的表现至少作一次书面评价,与教师交流。

5.3 评价中指出教师的优点及需要改进的地方。

5.4 采取行动执行评价中的建议(如提供培训以提升表现,如有需要即购置新的材料)。
可评"不适用"

7.1 教师参与自我评价。

7.2 除年度视察外,还经常对教师进行视察并给予回馈。

7.3 视察后以帮助、勉励的方式提出回馈意见。

* 注释:

项目(42):当课程由一人负责,没有其他教师时,这项目才能评为"不适用"。评分所需的资料应由接受督导的教师提供,而不是督导员。除非班级教师表示不知道你提的问题的答案,才向督导员查询。

问题:

1.1、3.1、5.1、5.2　你的工作受督导吗?做法如何?

1.2、3.2、5.2、7.3　你接受过对你工作表现的回馈吗?用什么方式?多久一次?

5.4　如有地方需要教师改善,如何进行?

7.1　你参加过自我评价吗?

不足		最低标准		良好		优良
1	2	3	4	5	6	7

项目(43):专业发展机会 *

1.1 教师没有入职辅导或在职培训。

1.2 不召开教师会议。

3.1 新教师有一些入职辅导,包括处理紧急事故、安全和健康事项等程序。*

3.2 提供一些在职培训。*

3.3 召开一些教师会议,处理行政事务。*

5.1 给新教师提供详细的入职辅导,内容包括与幼儿及家长的互动、执行纪律的方法、设计合适的活动等。

5.2 机构定期提供在职培训(例如:教师参加工作坊,采用嘉宾演讲或录影的方式在机构内进行培训)。*

5.3 每月召开教师会议,其中包括教师专业发展的活动。

5.4 机构提供一些专业资源材料(例如:有关儿童发展、文化敏感度和课堂活动的图书、杂志或其他材料,教师可从图书馆借来参考)。*

7.1 支援教师参加外面举办的课程、会议或工作坊(例如:提供休假、旅行费用,会议的参加费)。

7.2 机构设有良好的专业图书馆,藏有关于早期教育各种问题的最新资料。*

7.3 要求学历低于早期教育AA学位的教师继续进修(例如攻读 GED、CDA、AA 等学位课程)。可评"不适用"

*注释：

项目(43)：应由接受监督的教师提供评分所需的资料。如果教师表示不知道情况，再向主任查询。

3.1 如要得分，基本的入职辅导应于就职后 6 星期内进行，内容包括处理紧急事故、健康和安全事项等程序。

3.2 如要得分，所有老师都须参加的在职培训应每年至少举办一次。

3.3 如要得分，所有教师都须参加的教师会议必须每年至少召开两次，由主任及/或行政人员主持。

5.2 所有老师都须参加的在职培训必须每年至少进行两次，在机构内或社区工作坊举行。

5.4 "一些"指至少要有 25 份完好的图书、小册子或视听材料可供教师使用。

7.2 "最新资料"是指最近 10 年内出版的图书，和最近两年出版的杂志。诸如皮亚杰(Piaget)和埃里克森(Erikson)等学者的著作不在此限，因为它们都是经典，我们许多当前的观点都源出于此。

问题：

1.1、3.1、3.2、5.1、5.2　机构有为教师提供任何培训吗？请描述一下这些培训。为新教师又做了些什么？

1.2、3.3、5.3　你们召开教师会议吗？大约多久一次？会议上通常处理什么事务？

5.4、7.2　寻找新主意的时候，机构内有无资源可供使用？资源包括些什么？

7.1 教师有无支援，让他们可以参加会议或课程？请描述一下这些支援。

7.3 对学历低于 AA 学位的教师，机构要求他们继续进修吗？请说明这些要求。

填写评分表及概览示例

语言—推理	9/18/97
15. 图书和图片 1 2 ③ 4 5 6 7	笔记: —可取用 4 本图书 —每天一次集体故事时间
Y N　　Y N　　Y N　　Y N 1.1 ☐ ☑　3.1 ☑ ☐　5.1 ☐ ☑　7.1 ☐ ☐ 1.2 ☐ ☑　3.2 ☑ ☐　5.2 ☐ ☑　7.2 ☐ ☐ 　　　　　　　　　5.3 ☐ ☑ 　　　　　　　　　5.4 ☑ ☐ 　　　　　　　　　5.5 ☐ ☑	
16. 鼓励儿童交流 1 2 3 ④ 5 6 7	笔记: —可使用交流材料 —教师很少介入
Y N　　Y N　　Y N　　Y N 1.1 ☐ ☑　3.1 ☑ ☐　5.1 ☐ ☑　7.1 ☐ ☐ 1.2 ☐ ☑　3.2 ☑ ☐　5.2 ☑ ☐　7.2 ☐ ☐ 　　　　　　3.3 ☑ ☐	
17. 运用语言发展推理技能 1 ② 3 4 5 6 7	笔记: —没有看到教师介绍逻辑推理概念的事例
Y N　　Y N　　Y N　　Y N 1.1 ☐ ☑　3.1 ☑ ☐　5.1 ☐ ☑　7.1 ☐ ☐ 1.2 ☐ ☑　3.2 ☐ ☑　5.2 ☐ ☑　7.2 ☐ ☐	
18. 语言的非正式运用 1 2 ③ 4 5 6 7	笔记: —儿童经常交谈 —教师很少与儿童交谈
Y N　　Y N　　Y N　　Y N 1.1 ☐ ☑　3.1 ☑ ☐　5.1 ☐ ☑　7.1 ☐ ☐ 1.2 ☐ ☑　3.2 ☑ ☐　5.2 ☐ ☑　7.2 ☐ ☐ 1.3 ☐ ☑　　　　　5.3 ☐ ☑ 　　　　　　　　　5.4 ☐ ☑	
A. 子量表(项目 15—18) 　得分 1 2	B. 完成评分的项目 0 4	"语言—推理"的平均得分 (A÷B)3.00

语言—推理	4/29/98
15. 图书和图片 1 2 3 ④ 5 6 7	笔记: —4 本图书 —缺乏多元文化 —良好的阅读与语言角 —使用绒板
Y N　　Y N　　Y N　　Y N 1.1 ☐ ☑　3.1 ☑ ☐　5.1 ☐ ☑　7.1 ☐ ☐ 1.2 ☐ ☑　3.2 ☑ ☐　5.2 ☑ ☐　7.2 ☐ ☐ 　　　　　　　　　5.3 ☑ ☐ 　　　　　　　　　5.4 ☑ ☐ 　　　　　　　　　5.5 ☐ ☑	
16. 鼓励儿童交流 1 2 3 4 5 ⑥ 7	笔记: —没有将口语联系书面语
Y N　　Y N　　Y N　　Y N 1.1 ☐ ☑　3.1 ☑ ☐　5.1 ☑ ☐　7.1 ☑ ☐ 1.2 ☐ ☑　3.2 ☑ ☐　5.2 ☑ ☐　7.2 ☐ ☑ 　　　　　　3.3 ☑ ☐	
17. 运用语言发展推理技能 1 2 3 ④ 5 6 7	笔记: —使用推理游戏,自由游戏时间亦然 —看不到教师回馈或提供意见的事例
Y N　　Y N　　Y N　　Y N 1.1 ☐ ☑　3.1 ☑ ☐　5.1 ☑ ☐　7.1 ☐ ☐ 1.2 ☐ ☑　3.2 ☑ ☐　5.2 ☑ ☐　7.2 ☐ ☐	
18. 语言的非正式运用 1 2 3 4 ⑤ 6 7	笔记: —教师只与几个儿童交流 —没有运用提问去引发较长的回答
Y N　　Y N　　Y N　　Y N 1.1 ☐ ☑　3.1 ☑ ☐　5.1 ☑ ☐　7.1 ☐ ☑ 1.2 ☐ ☑　3.2 ☑ ☐　5.2 ☑ ☐　7.2 ☐ ☑ 1.3 ☐ ☑　　　　　5.3 ☑ ☐ 　　　　　　　　　5.4 ☑ ☐	
A. 子量表(项目 15—18) 　得分 1 9	B. 完成评分的项目 0 4	"语言—推理"的平均得分 (A÷B)4.75

概览举例

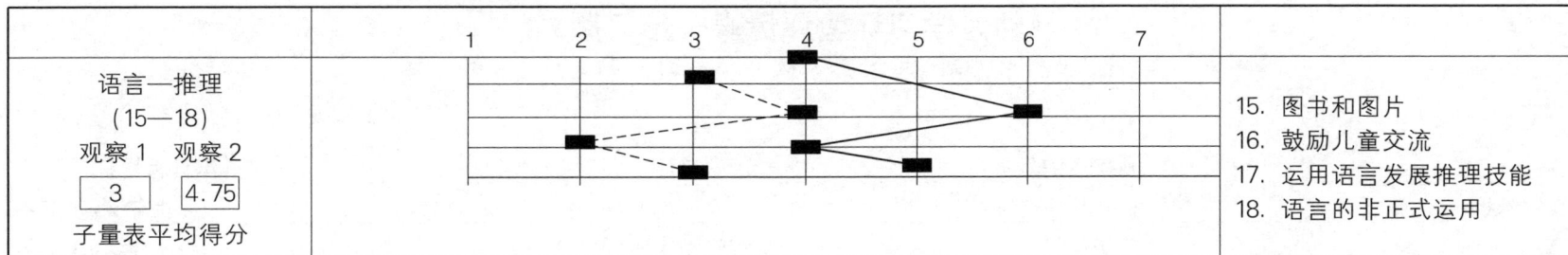

| 语言—推理
(15—18)

观察 1　　观察 2
　3　　　4.75

子量表平均得分 | 15. 图书和图片
16. 鼓励儿童交流
17. 运用语言发展推理技能
18. 语言的非正式运用 |

评分表(扩展版)
《幼儿学习环境评量表—修订版》

希尔玛 · 哈姆斯　理查德 · M. 克利福德　黛比 · 克莱尔

观察员：_____　　观察员编号：_____　　观察日期：_____ / _____ / _____ (年)(月)(日)

中心/学校：_____　　机构编号：_____　　观察开始时间：_____ □ 上午　□ 下午

班级：_____　　班级编号：_____　　观察结束时间：_____ □ 上午　□ 下午

教师：_____　　教师编号：_____　　访谈开始时间：_____ □ 上午　□ 下午

访谈结束时间：_____ □ 上午　□ 下午

时间				
在场教师人数				
在场儿童人数				

中心规定一班最多人数：_____

观察期间在场儿童的最多人数：_____

已鉴定残障儿童人数：_____

残障类型：□ 身体/知觉　□ 认知/语言　□ 社交/情绪　□ 其他

在园儿童出生日期：最小_____ / _____ / _____ (年)(月)(日)

最大_____ / _____ / _____ (年)(月)(日)

<table>
<tr><td colspan="2" align="center">空间与设施</td></tr>
</table>

空间与设施

1. 室内空间　　1　2　3　4　5　6　7

Y N		Y N NA		Y N		Y N	
1.1 ☐ ☐		3.1 ☐ ☐		5.1 ☐ ☐		7.1 ☐ ☐	
1.2 ☐ ☐		3.2 ☐ ☐		5.2 ☐ ☐		7.2 ☐ ☐	
1.3 ☐ ☐		3.3 ☐ ☐		5.3 ☐ ☐			
1.4 ☐ ☐		3.4 ☐ ☐					
		3.5 ☐ ☐ ☐					

2. 日常照料、游戏和学习设施　　1　2　3　4　5　6　7

Y N		Y N NA		Y N NA		Y N	
1.1 ☐ ☐		3.1 ☐ ☐		5.1 ☐ ☐		7.1 ☐ ☐	
1.2 ☐ ☐		3.2 ☐ ☐		5.2 ☐ ☐		7.2 ☐ ☐	
		3.3 ☐ ☐ ☐		5.3 ☐ ☐ ☐			

5.1　儿童尺寸的设施?

$$\frac{}{\text{(儿童尺寸设施的数量)}} \div \frac{}{\text{(儿童人数)}} = \frac{}{\text{(儿童尺寸设施\%)}}$$

3. 休闲和舒适的设施　　1　2　3　4　5　6　7

Y N		Y N		Y N		Y N	
1.1 ☐ ☐		3.1 ☐ ☐		S 5.1 ☐ ☐		7.1 ☐ ☐	
1.2 ☐ ☐		3.2 ☐ ☐		5.2 ☐ ☐		7.2 ☐ ☐	
				5.3 ☐ ☐			

S = 一天中有相当多的时间

5.1　总时间(舒适区):_____

4. 室内游戏空间的规划	1　　2　　3　　4　　5　　6　　7	
Y N　　　　Y N　NA　　　Y N　　　　Y N		3.1、5.1、7.1　列出明确划分的兴趣区：
1.1 ☐ ☐　3.1 ☐ ☐　　5.1 ☐ ☐　7.1 ☐ ☐		
1.2 ☐ ☐　3.2 ☐ ☐　　5.2 ☐ ☐　7.2 ☐ ☐		
3.3 ☐ ☐　　5.3 ☐ ☐　7.3 ☐ ☐		
3.4 ☐ ☐ ☐		
5. 私密空间　　　　　　1　　2　　3　　4　　5　　6　　7		
Y N　　　　Y N　　　　　Y N　　　　Y N		5.2　总时间(私密空间)：_____
1.1 ☐ ☐　3.1 ☐ ☐　　5.1 ☐ ☐　7.1 ☐ ☐		
3.2 ☐ ☐　S 5.2 ☐ ☐　7.2 ☐ ☐		
S ＝ 一天中有相当多的时间		
6. 儿童陈列品　　　　　1　　2　　3　　4　　5　　6　　7		
Y N　　　　Y N　　　　Y N　　　　Y N		
1.1 ☐ ☐　3.1 ☐ ☐　5.1 ☐ ☐　7.1 ☐ ☐		
1.2 ☐ ☐　3.2 ☐ ☐　5.2 ☐ ☐　7.2 ☐ ☐		
5.3 ☐ ☐		
7. 大肌肉活动空间　　　1　　2　　3　　4　　5　　6　　7		
Y N　　　　Y N　　　　Y N　　　　Y N		1.2、3.2　安全威胁：
1.1 ☐ ☐　3.1 ☐ ☐　5.1 ☐ ☐　7.1 ☐ ☐		
1.2 ☐ ☐　3.2 ☐ ☐　5.2 ☐ ☐　7.2 ☐ ☐		
5.3 ☐ ☐　7.3 ☐ ☐		

	严重的	轻微的
户外		
室内		

8. 大肌肉活动器材	1　2　3　4　5　6　7
Y N　　　Y N　　　　Y N NA　　　Y N	
1.1 ☐☐　3.1 ☐☐　5.1 ☐☐　　　7.1 ☐☐	
1.2 ☐☐　3.2 ☐☐　5.2 ☐☐　　　7.2 ☐☐	
1.3 ☐☐　3.3 ☐☐　5.3 ☐☐☐	

3.1　总时间(大肌肉活动器材)：＿＿＿＿＿＿＿

5.2　列举各种技能：1.　　　　　5.
　　　　　　　　　　2.　　　　　6.
　　　　　　　　　　3.　　　　　7.
　　　　　　　　　　4.　　　　　8.

7.1　固定设施：

　　可移动设施：

A. 子量表(项目1—8)总分：＿＿＿＿＿＿＿

B. 完成评分的项目：＿＿＿＿＿＿＿

"空间与设施"平均分(A÷B)：＿＿＿．＿＿＿＿＿

个人日常照料

9. 入园与离园	1 2 3 4 5 6 7

Y N	Y N	Y N NA	Y N NA
1.1 ☐ ☐	3.1 ☐ ☐	5.1 ☐ ☐	7.1 ☐ ☐
1.2 ☐ ☐	3.2 ☐ ☐	5.2 ☐ ☐	7.2 ☐ ☐
1.3 ☐ ☐	3.3 ☐ ☐	5.3 ☐ ☐ ☐	7.3 ☐ ☐ ☐

1.1、3.1、5.1、5.3、7.3　观察到的打招呼情形: (√ = 是 , × = 否)

　　　　　儿童　　　　　家长　　　　交流资讯

1. _____ _____ _____
2. _____ _____ _____
3. _____ _____ _____
4. _____ _____ _____
5. _____ _____ _____
6. _____ _____ _____

10. 正餐/点心	1 2 3 4 5 6 7

Y N NA	Y N NA	Y N NA	Y N
1.1 ☐ ☐	3.1 ☐ ☐	5.1 ☐ ☐	7.1 ☐ ☐
1.2 ☐ ☐	3.2 ☐ ☐	5.2 ☐ ☐	7.2 ☐ ☐
1.3 ☐ ☐	3.3 ☐ ☐	5.3 ☐ ☐	7.3 ☐ ☐
1.4 ☐ ☐	3.4 ☐ ☐	5.4 ☐ ☐ ☐	
1.5 ☐ ☐ ☐	3.5 ☐ ☐ ☐		
	3.6 ☐ ☐ ☐		

1.3、3.3　观察到的卫生状况: (√ = 是 , × = 否)

	1	2	3	4	5	6	7	8	9	10	11	12	13	14	15
儿童洗手															
教师洗手															

桌子经过消毒?

其他问题?

11. 午睡/休息	1 2 3 4 5 6 7 NA

Y N	Y N	Y N	Y N
1.1 ☐ ☐	3.1 ☐ ☐	5.1 ☐ ☐	7.1 ☐ ☐
1.2 ☐ ☐	3.2 ☐ ☐	5.2 ☐ ☐	7.2 ☐ ☐
1.3 ☐ ☐	3.3 ☐ ☐	5.3 ☐ ☐	
	3.4 ☐ ☐		

　　　　　　　　　　　　　　　　　　　　　　　　　　Y　N

3.2　所有小床/垫子间距 ≥18″(45.7 厘米)?　　☐　☐

5.3　所有小床/垫子间距 ≥36″(91.4 厘米)?　　☐　☐

12. 如厕/换尿片	1　2　3　4　5　6　7
Y　N　　　Y　N　　　Y　N　　　Y　N	
1.1 □ □　　3.1 □ □　　5.1 □ □　　7.1 □ □	
1.2 □ □　　3.2 □ □　　5.2 □ □　　7.2 □ □	
1.3 □ □　　3.3 □ □　　5.3 □ □	
1.4 □ □　　3.4 □ □	
3.5 □ □	

1.3、3.3　观察到的洗手情形:(√ = 是,× = 否)

	1	2	3	4	5	6	7	8	9	10	11	12	13	14	15
儿童洗手															
教师洗手															

成人_____次有_____次完成洗手的程式,完成洗手次数的百分比_____%

儿童_____次有_____次完成洗手的程式,完成洗手次数的百分比_____%

3.1　卫生状况(√ = 是,× = 否)

有否冲厕?_____多用途洗手盘已否经过消毒?_____

其他问题:

13. 卫生措施	1　2　3　4　5　6　7
Y　N　　　　Y　N　　　Y　N　　　　Y　N　NA	
1.1 □ □　　3.1 □ □　　5.1 □ □　　7.1 □ □	
1.2 □ □　　3.2 □ □　　5.2 □ □　　7.2 □ □ □	
3.3 □ □　　5.3 □ □	
3.4 □ □	

1.1、3.1、3.2　洗手观察(记录)

	成人		儿童	
抵达课室或从户外回来时	是	否	是	否
玩沙或游戏弄脏后				
玩水游戏前/后				
处理体液后				
接触宠物或污染物后				

成人_____次有_____次完成洗手的程式,完成洗手次数的百分比_____%

儿童_____次有_____次完成洗手的程式,完成洗手次数的百分比_____%

14. 安全措施	1　2　3　4　5　6　7
Y　N　　　　Y　N　　　Y　N　　　　Y　N	
1.1 □ □　　3.1 □ □　　5.1 □ □　　7.1 □ □	
1.2 □ □　　3.2 □ □　　5.2 □ □　　7.2 □ □	
1.3 □ □　　3.3 □ □	

1.1、3.1　安全威胁:

	严重的	轻微的
户外		
室内		

A. 子量表(项目9—14)总分:_____　_____	B. 完成评分的项目:_____　_____	"个人日常照料"平均分(A÷B):____．____

15. 图书和图片	1	2	3	4	5	6	7

	Y N		Y N		Y N		Y N
1.1	□ □	3.1	□ □	S 5.1	□ □	7.1	□ □
1.2	□ □	3.2	□ □	5.2	□ □	7.2	□ □
				5.3	□ □		
				5.4	□ □		
				5.5	□ □		

S ＝一天中有相当多的时间

5.1 总时间(图书和图片)：＿＿＿＿＿＿＿＿＿＿
5.1 多类图书(数量)：
　　幻想类＿＿＿＿＿　　种族/文化＿＿＿＿＿　　人物＿＿＿＿＿
　　自然/科学＿＿＿＿　　能力＿＿＿＿＿＿＿　　动物＿＿＿＿＿
　　知识类＿＿＿＿＿
5.4 是否有暴力？＿＿＿＿(并参看项目 26 的 3.1 和 5.1，及项目 28 的 3.1
　　和 5.1)
5.5 有没有观察到非正式的阅读？（有/没有）

16. 鼓励儿童交流	1	2	3	4	5	6	7

	Y N		Y N		Y N		Y N
1.1	□ □	3.1	□ □	5.1	□ □	7.1	□ □
1.2	□ □	3.2	□ □	5.2	□ □	7.2	□ □
		3.3	□ □				

5.1 交流活动：
　　自由游戏期间的例子：
　　集体活动期间的例子：

7.2 书面交流的例子：

17. 运用语言发展推理技能	1	2	3	4	5	6	7

	Y N		Y N		Y N		Y N
1.1	□ □	3.1	□ □	5.1	□ □	7.1	□ □
1.2	□ □	3.2	□ □	5.2	□ □	7.2	□ □

3.1、5.1 逻辑关系的例子：

5.2 儿童解释的例子：

18. 语言的非正式运用	1　　2　　3　　4　　5　　6　　7	5.3　教师将儿童的想法延伸的例子:
Y　N　　　　Y　N　　　　　Y　N　　　　　Y　N		
1.1 □ □　　3.1 □ □　　5.1 □ □　　7.1 □ □		7.2　教师通过提问让儿童以较长的答案回应的例子:
1.2 □ □　　3.2 □ □　　5.2 □ □　　7.2 □ □		
1.3 □ □　　　　　　　　5.3 □ □		
5.4 □ □		

A. 子量表(项目 15—18)总分: _____ _____	B. 完成评分的项目: _____ _____	"语言—推理"平均分(A÷B): ____ . ____ ____

<table>
<tr><td colspan="2" align="center">活动</td></tr>
</table>

19. 小肌肉活动	1 2 3 4 5 6 7
	Y N Y N Y N Y N
1.1 ☐ ☐   3.1 ☐ ☐   S 5.1 ☐ ☐   7.1 ☐ ☐
1.2 ☐ ☐   3.2 ☐ ☐   5.2 ☐ ☐   7.2 ☐ ☐
5.3 ☐ ☐

S ＝ 一天中有相当多的时间

5.1　总时间(小肌肉活动)：_____

5.1　小肌肉活动材料类别(每类列举3—5例)：
- 小型搭建材料
- 美术材料
- 操作性材料
- 拼图

20. 美术	1 2 3 4 5 6 7
	Y N Y N Y N Y N NA
1.1 ☐ ☐   3.1 ☐ ☐   S 5.1 ☐ ☐   7.1 ☐ ☐
1.2 ☐ ☐   3.2 ☐ ☐   5.2 ☐ ☐   7.2 ☐ ☐
7.3 ☐ ☐ ☐

S ＝ 一天中有相当多的时间

5.1　总时间(美术材料)：_____

5.1　美术材料类别(每类列举3—5例)：
- 绘画材料
- 颜料
- 立体创作材料
- 拼贴材料
- 工具

21. 音乐/律动	1 2 3 4 5 6 7
	Y N Y N Y N Y N
1.1 ☐ ☐   3.1 ☐ ☐   5.1 ☐ ☐   7.1 ☐ ☐
1.2 ☐ ☐   3.2 ☐ ☐   5.2 ☐ ☐   7.2 ☐ ☐
3.3 ☐ ☐   7.3 ☐ ☐

3.1、5.1　总时间(音乐材料)：_____

5.1　音乐材料类别：
- 乐器
- 聆听用的音乐和让较年长儿童演奏用的音乐
- 配以音乐的舞蹈道具

7.1　音乐供自由选择?　_____　音乐供集体活动?　_____

22. 积木	1　2　3　4　5　6　7
Y N　　　Y N　　　Y N　　　Y N	
1.1 □ □　　3.1 □ □　　5.1 □ □　　7.1 □ □	
3.2 □ □　　5.2 □ □　　7.2 □ □	
3.3 □ □　　5.3 □ □　　7.3 □ □	
S 5.4 □ □	
S = 一天中有相当多的时间	

5.4　总时间(积木角)：_____
7.1　积木类别(√ = 观察到的)：
　　_____单元积木
　　_____大型空心积木
　　_____自制积木
　　_____其他：_____

23. 沙/水	1　2　3　4　5　6　7
Y N　　　Y N　　　Y N　　　Y N	
1.1 □ □　　3.1 □ □　　5.1 □ □　　7.1 □ □	
1.2 □ □　　3.2 □ □　　5.2 □ □　　7.2 □ □	
5.3 □ □	

3.1、5.1、7.1　有关设施(√ = 观察到的)：

	室内	户外
沙		
水		

5.3　总时间(沙或水的游戏)：_____

24. 角色游戏	1　2　3　4　5　6　7
Y N　　　Y N　　　Y N　　　Y N	
1.1 □ □　　3.1 □ □　　5.1 □ □　　7.1 □ □	
3.2 □ □　　S 5.2 □ □　　7.2 □ □	
3.3 □ □　　5.3 □ □　　7.3 □ □	
5.4 □ □　　7.4 □ □	
S = 一天中有相当多的时间	

5.1　特定性别的道具服装(列举)：

	男性	女性
1.		
2.		
3.		

5.2　总时间(角色游戏)：_____
5.3　道具所代表的主题(至少 2 例)：_____

119

25. 自然/科学	1　2　3　4　5　6　7		
Y　N	Y　N	Y　N	Y　N
1.1 □ □	3.1 □ □	5.1 □ □	7.1 □ □
	3.2 □ □	S 5.2 □ □	7.2 □ □
	3.3 □ □	5.3 □ □	
		5.4 □ □	
S = 一天中有相当多的时间			

5.1　自然/科学材料类别(每类列举3—5例)
- 自然物＿＿＿＿＿＿＿＿＿＿＿＿＿
- 生物体＿＿＿＿＿＿＿＿＿＿＿＿＿
- 图书、游戏、玩具＿＿＿＿＿＿＿
- 活动＿＿＿＿＿＿＿＿＿＿＿＿＿＿

5.2　总时间(自然/科学)：＿＿＿＿＿＿＿＿

26. 数学/数字	1　2　3　4　5　6　7		
Y　N	Y　N	Y　N	Y　N
1.1 □ □	3.1 □ □	5.1 □ □	7.1 □ □
1.2 □ □	3.2 □ □	S 5.2 □ □	7.2 □ □
		5.3 □ □	
		5.4 □ □	
S = 一天中有相当多的时间			

5.1　数学/数字材料类别(每类列举3—5例)
- 数数＿＿＿＿＿＿＿＿＿＿＿＿＿＿
- 书写数字＿＿＿＿＿＿＿＿＿＿＿＿
- 测量＿＿＿＿＿＿＿＿＿＿＿＿＿＿
- 数量比较＿＿＿＿＿＿＿＿＿＿＿＿
- 形状＿＿＿＿＿＿＿＿＿＿＿＿＿＿

5.2　总时间(数学/数字)：＿＿＿＿＿＿＿＿

27. 电视、录影及/或电脑的使用	1　2　3　4　5　6　7　NA		
Y　N	Y　N	Y　N　NA	Y　N　NA
1.1 □ □	3.1 □ □	5.1 □ □	7.1 □ □ □
1.2 □ □	3.2 □ □	5.2 □ □ □	7.2 □ □
	3.3 □ □	5.3 □ □	
		5.4 □ □	

28. 促进接受多元性	1　2　3　4　5　6　7

　　Y N　　　　Y N　　　　Y N　　　　Y N

1.1 ☐ ☐　　3.1 ☐ ☐　　5.1 ☐ ☐　　7.1 ☐ ☐

1.2 ☐ ☐　　3.2 ☐ ☐　　5.2 ☐ ☐　　7.2 ☐ ☐

1.3 ☐ ☐　　3.3 ☐ ☐

5.1　材料的多元性(数量):

	图书	图片	其他
种族			
文化			
年龄			
能力			
性别			

A. 子量表(项目 19—28)总分: _____ _____	B. 完成评分的项目: _____ _____	"活动"平均分(A÷B): ____ . ____ ____

			互动							
29. 大肌肉活动的管理			1	2	3	4	5	6	7	

	Y N		Y N		Y N		Y N	
1.1 □ □		3.1 □ □		5.1 □ □		7.1 □ □	
1.2 □ □		3.2 □ □		5.2 □ □		7.2 □ □	
				5.3 □ □		7.3 □ □	

| 30. 儿童的一般管理(不包括大肌肉活动) | 1 | 2 | 3 | 4 | 5 | 6 | 7 |

	Y N		Y N		Y N		Y N	
1.1 □ □		3.1 □ □		5.1 □ □		7.1 □ □	
1.2 □ □		3.2 □ □		5.2 □ □		7.2 □ □	
		3.3 □ □		5.3 □ □			
				5.4 □ □			

| 31. 纪律 | 1 | 2 | 3 | 4 | 5 | 6 | 7 |

	Y N		Y N		Y N		Y N	
1.1 □ □		3.1 □ □		5.1 □ □		7.1 □ □	
1.2 □ □		3.2 □ □		5.2 □ □		7.2 □ □	
1.3 □ □		3.3 □ □		5.3 □ □		7.3 □ □	

| 32. 师幼互动 | 1 | 2 | 3 | 4 | 5 | 6 | 7 |

	Y N		Y N		Y N		Y N	
1.1 □ □		3.1 □ □		5.1 □ □		7.1 □ □	
1.2 □ □		3.2 □ □		5.2 □ □		7.2 □ □	
1.3 □ □				5.3 □ □			

33. 同伴互动	1　2　3　4　5　6　7	
Y N　　　　Y N　　　　Y N　　　　Y N		
1.1 □ □　　3.1 □ □　　5.1 □ □　　7.1 □ □		
1.2 □ □　　3.2 □ □　　5.2 □ □　　7.2 □ □		
1.3 □ □　　3.3 □ □		
A. 子量表(项目 29—33)总分: _____ _____	B. 完成评分的项目: _____ _____	"互动"平均分(A÷B): ____ . ____ ____

34. 日程表	1 2 3 4 5 6 7	
Y N　　　 Y N　　　 Y N　　　 Y N		5.3　室内游戏所占的时间：＿＿＿＿＿＿＿＿＿＿
1.1 ☐ ☐　　3.1 ☐ ☐　　5.1 ☐ ☐　　7.1 ☐ ☐		户外游戏所占的时间：＿＿＿＿＿＿＿＿＿＿
3.2 ☐ ☐　　5.2 ☐ ☐　　7.2 ☐ ☐		游戏活动所占的时间：＿＿＿＿＿＿＿＿＿＿
3.3 ☐ ☐　　S 5.3 ☐ ☐		
3.4 ☐ ☐　　5.4 ☐ ☐		
S ＝ 一天中有相当多的时间		
35. 自由游戏	1 2 3 4 5 6 7	
Y N　　　 Y N　　　 Y N　　　 Y N		5.1　室内自由游戏所占的时间：＿＿＿＿＿＿＿＿
1.1 ☐ ☐　　3.1 ☐ ☐　　S 5.1 ☐ ☐　　7.1 ☐ ☐		户外自由游戏所占的时间：＿＿＿＿＿＿＿＿
1.2 ☐ ☐　　3.2 ☐ ☐　　5.2 ☐ ☐　　7.2 ☐ ☐		自由游戏所占的时间：＿＿＿＿＿＿＿＿＿＿
3.3 ☐ ☐　　5.3 ☐ ☐		
S ＝ 一天中有相当多的时间		
36. 集体活动	1 2 3 4 5 6 7	
Y N　　　 Y N　　　 Y N　　　 Y N		
1.1 ☐ ☐　　3.1 ☐ ☐　　5.1 ☐ ☐　　7.1 ☐ ☐		
1.2 ☐ ☐　　3.2 ☐ ☐　　5.2 ☐ ☐　　7.2 ☐ ☐		
5.3 ☐ ☐　　7.3 ☐ ☐		

37. 残障儿童支援	1　2　3　4　5　6　7　NA			
Y N	Y N	Y N	Y N	
1.1 ☐ ☐	3.1 ☐ ☐	5.1 ☐ ☐	7.1 ☐ ☐	
1.2 ☐ ☐	3.2 ☐ ☐	5.2 ☐ ☐	7.2 ☐ ☐	
1.3 ☐ ☐	3.3 ☐ ☐	5.3 ☐ ☐	7.3 ☐ ☐	
1.4 ☐ ☐	3.4 ☐ ☐			

A. 子量表(项目34—37)总分：_____ _____　　　B. 完成评分的项目：_____ _____　　　"课程结构"平均分(A÷B)：____ · ____ ____

家长与教师		
38. 家长支援	1 2 3 4 5 6 7	
Y N   Y N   Y N   Y N
1.1 ☐ ☐ 3.1 ☐ ☐ 5.1 ☐ ☐ 7.1 ☐ ☐	
1.2 ☐ ☐ 3.2 ☐ ☐ 5.2 ☐ ☐ 7.2 ☐ ☐	
3.3 ☐ ☐ 5.3 ☐ ☐ 7.3 ☐ ☐	
3.4 ☐ ☐ 5.4 ☐ ☐	
39. 教师个人需要支援	1 2 3 4 5 6 7	
Y N   Y N NA   Y N   Y N
1.1 ☐ ☐ 3.1 ☐ ☐ 5.1 ☐ ☐ 7.1 ☐ ☐	
1.2 ☐ ☐ 3.2 ☐ ☐ 5.2 ☐ ☐ 7.2 ☐ ☐	
3.3 ☐ ☐ 5.3 ☐ ☐ 7.3 ☐ ☐	
3.4 ☐ ☐ 5.4 ☐ ☐	
3.5 ☐ ☐ ☐	
40. 教师专业需要支援	1 2 3 4 5 6 7	
Y N   Y N   Y N   Y N
1.1 ☐ ☐ 3.1 ☐ ☐ 5.1 ☐ ☐ 7.1 ☐ ☐	
1.2 ☐ ☐ 3.2 ☐ ☐ 5.2 ☐ ☐ 7.2 ☐ ☐	
1.3 ☐ ☐ 3.3 ☐ ☐ 5.3 ☐ ☐	

41. 教师的互动与合作	1　2　3　4　5　6　7　NA	
Y　N　　　　Y　N　　　　　Y　N　　　　　Y　N		
1.1 ☐ ☐　　3.1 ☐ ☐　　5.1 ☐ ☐　　7.1 ☐ ☐		
1.2 ☐ ☐　　3.2 ☐ ☐　　5.2 ☐ ☐　　7.2 ☐ ☐		
1.3 ☐ ☐　　3.3 ☐ ☐　　5.3 ☐ ☐　　7.3 ☐ ☐		
42. 教师督导与评价	1　2　3　4　5　6　7	
Y　N　　　　Y　N　　　　Y　N　NA　　　　Y　N		
1.1 ☐ ☐　　3.1 ☐ ☐　　5.1 ☐ ☐　　　　7.1 ☐ ☐		
1.2 ☐ ☐　　3.2 ☐ ☐　　5.2 ☐ ☐　　　　7.2 ☐ ☐		
5.3 ☐ ☐　　　　7.3 ☐ ☐		
5.4 ☐ ☐ ☐		
43. 专业发展机会	1　2　3　4　5　6　7	
Y　N　　　　Y　N　　　　Y　N　　　　Y　N　NA		
1.1 ☐ ☐　　3.1 ☐ ☐　　5.1 ☐ ☐　　7.1 ☐ ☐		
1.2 ☐ ☐　　3.2 ☐ ☐　　5.2 ☐ ☐　　7.2 ☐ ☐		
3.3 ☐ ☐　　5.3 ☐ ☐　　7.3 ☐ ☐ ☐		
5.4 ☐ ☐		
A. 子量表(项目38—43)总分:＿＿＿ ＿＿＿	B. 完成评分的项目:＿＿＿ ＿＿＿	"家长与教师"平均分(A÷B):＿＿ . ＿＿ ＿＿

总分和平均分					
	子量表总分	÷	完成评分的项目总数	=	平均分
空间与设施		÷		=	
个人日常照料		÷		=	
语言—推理		÷		=	
活动		÷		=	
互动		÷		=	
课程结构		÷		=	
家长与教师		÷		=	
总计		÷		=	

日程表	
计划中的日程	观察到的日程

"一天中相当多的时间"计算表		
	参考图表	
中心开门时间：_____:_____ □ 上午 □ 下午 中心关门时间：_____:_____ □ 上午 □ 下午 运行的总时数 = _____ 小时 _____ 分钟 "一天中相当多的时间"(S) = _____ 小时 _____ 分钟	运行时数　　"相当多"时数 4　·················　1:20 4.5　················　1:30 5　·················　1:40 5.5　················　1:50 6　·················　2:00 6.5　················　2:10 7　·················　2:20 7.5　················　2:30	运行时数　　"相当多"时数 8　·················　2:40 8.5　················　2:50 9　·················　3:00 9.5　················　3:10 10　················　3:20 10.5　···············　3:30 11　················　3:40 11.5　···············　3:50 12　················　4:00
3. 休闲及舒适的设施 　　　　　总时间 = _____ 小时 _____ 分钟	24. 角色游戏 　　　　　总时间 = _____ 小时 _____ 分钟	
5. 私密空间 　　　　　总时间 = _____ 小时 _____ 分钟	25. 自然/科学 　　　　　总时间 = _____ 小时 _____ 分钟	
15. 图书和图片 　　　　　总时间 = _____ 小时 _____ 分钟	26. 数学/数字 　　　　　总时间 = _____ 小时 _____ 分钟	
19. 小肌肉活动 　　　　　总时间 = _____ 小时 _____ 分钟	34. 日程表 　　　　　总时间 = _____ 小时 _____ 分钟	
20. 美术 　　　　　总时间 = _____ 小时 _____ 分钟	35. 自由游戏 　　　　　总时间 = _____ 小时 _____ 分钟	
22. 积木角 　　　　　总时间 = _____ 小时 _____ 分钟		

《幼儿学习环境评量表（修订版）》（ECERS - R）概览

中心/学校：_____

教师/班级：_____

观察 1：___/___/___ （年）（月）（日）　观察员：_____

观察 2：___/___/___ （年）（月）（日）　观察员：_____

	1	2	3	4	5	6	7
1. 室内空间							
2. 日常照料、游戏和学习设施							
3. 休闲和舒适的设施							
4. 室内游戏空间规划							
5. 私密空间							
6. 儿童陈列用品							
7. 大肌肉活动空间							
8. 大肌肉活动器材							
9. 入园与离园							
10. 正餐/点心							
11. 午睡/休息							
12. 如厕/换尿片							
13. 卫生措施							
14. 安全措施							
15. 图书和图片							
16. 鼓励儿童发展交流							
17. 运用语言发展推理技能							
18. 语言的非正式运用							
19. 小肌肉活动							
20. 美术							
21. 音乐/律动							
22. 积木							
23. 沙/水							
24. 角色游戏							
25. 自然/科学							
26. 数学/数字							
27. 电视、录影及/或电脑的使用							
28. 促进接受多元性							
29. 大肌肉活动的管理							
30. 儿童的一般管理(不包括大肌肉活动)							
31. 纪律							
32. 师幼互动							
33. 同伴互动							
34. 日程表							
35. 自由游戏							
36. 集体活动							
37. 残障儿童支援							
38. 家长支援							
39. 教师个人需要支援							
40. 教师专业需要支援							
41. 教师的互动与合作							
42. 专业督导与评价							
43. 专业发展机会							

I . 空间与设施 (1—8)

观察 1 □　观察 2 □

子量表的平均分 □

II . 个人日常照料 (9—14) □

III . 语言—推理 (15—18) □

IV . 活动 (19—28) □

V . 互动 (29—33) □

VI . 课程结构 (34—37) □

VII . 家长与教师 (38—43) □

空间与设施 □
个人日常照料 □
语言—推理 □
活动 □
互动 □
课程结构 □
家长与教师 □

子量表的平均分 □

131

First Published by Teachers College Press, 1234 Amsterdam Avenue, New York, NY10027

Copyright © 2005 by Thelma Harms, Richard M. Clifford and Debby Cryer

太平洋区幼儿教育研究学会授权出版

上海市版权局著作权合同登记　图字:09－2014－249 号